Valladolid,
junio de 1937

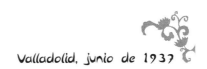

Valladolid, junio de 1937

Don Laureano detuvo la pluma, aflojó la mano y dejó de fruncir el ceño. Mientras se recostaba levemente en el alto respaldo de la silla, leyó de nuevo el último párrafo de aquel largo escrito. Su estado de concentración era tal que no oía a los niños de la casa entrando y saliendo del patio. Era cierto que los pequeños estaban bien aleccionados al respecto: cuando el padre trabaja, no se hace ruido.

Afuera un cielo pálido a esa primera hora de la tarde cubría los vastos campos y las pocas casas que acompañaban algún que otro árbol solitario hasta llegar a la ciudad.

Las cigarras interpretaban con ganas su vieja partitura y el olor de primavera se esparcía como un pesado perfume sobre la meseta.

El sol iluminaba tímidamente el salón de la vieja casa castellana, ya que era el único momento en que conseguía colarse por una estrecha ventana de la gruesa pared, marcando un rectángulo deforme en el suelo de piedra. El resto de los adultos de la casa dormía la siesta o simplemente descansaba, y don Laureano aprovechaba este rato de relativa tranquilidad para despachar su correspondencia o redactar los artículos que hacía llegar a las revistas El Evangelista o El Joven Cristiano.

Los Papeles del Abuelo

Se incorporó, acercó cuidadosamente la pluma al tintero mojándola con pericia y se dispuso a concluir. Consultó uno de los libros que tenía abiertos sobre la mesa del escritorio, pasando cuidadosamente por encima el dedo índice de la mano izquierda casi como una caricia, sin apenas rozar el papel, y comenzó a escribir de nuevo:

"Querido Francisco, la vida está siempre llena de incertidumbres, pero en este aciago momento paréceme que aún más. He vuelto a referirte lo que es harto conocido por ti. Debes tomar una decisión, y mi ruego es que no te demores, pues está en juego tu vida, tu verdadera vida. Recibe un fuerte abrazo de quien te quiere y no te olvida en sus oraciones.

Tu hermano Laureano".

Dejó la pluma bien colocada y relajó la postura. Volvió a leer el final del texto. Su hermano Francisco… Dirigió la mirada hacia el haz de luz que entraba por la ventana y dejaba en evidencia un luminoso polvo que flotaba sin prisa en medio de la nada. Se perdió en sus recuerdos de infancia. El día en que nació su hermano menor había alegría en la casa, pues su madre se encontraba bien y el pequeño era hermoso y sonrosado, y a fe que debía tener unos buenos pulmones a juzgar por sus lloros. En cuanto comenzó a crecer, Laureano observó en él una inteligencia muy despierta, y como fuese que el niño perseguía todo el día a su hermano mayor, ambos jugaron, rieron, se retaron y bromearon, a la vez que aprendieron el uno del otro en el transcurrir del día a día.

Al cabo de unos minutos, volviendo en sí, cerró los libros que había estado consultando y los colocó en su lugar en la estantería. Dobló todas las cuartillas que había escrito, las guardó en uno de los pequeños cajones del

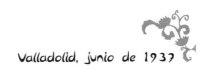

secreter y cerró los ojos. ¿Serían acertadas las palabras? Era de suma importancia haber dado con ellas; necesitaba la llave mágica que abriera el corazón de su hermano Francisco. Acercó ambas manos a sus sienes e inició un suave masaje con los dedos. ¿Dónde se encontraría él ahora? Todavía con los ojos cerrados, apoyó los codos sobre el escritorio sosteniéndose la cabeza con las manos. Fue entonces cuando lo oyó: un zumbido a lo lejos.

Se levantó en dirección a la puerta de la casa y salió al patio, intentando localizar el origen del sonido. Entrecerró los ojos y, entre una bandada de pájaros que cruzaba por encima del horizonte, distinguió unos puntos que no aleteaban. Sintió un escalofrío allí de pie, a pleno sol de junio en la meseta. Eran aviones y se acercaban a la velocidad que la nueva tecnología había logrado imprimir a esos sorprendentes aparatos.

No permaneció quieto ni un segundo más. Comenzó a correr por el patio y a llamar a gritos a los niños en todas direcciones. ¿Dónde estaban? Durante toda la siesta habían estado por allí cerca. ¿Se habrían alejado ahora?

– ¡Josefa! ¡María! ¡Laureano! ¡Rápido, entrad en la casa! ¿Me oís? ¡Hay que entrar en la casa! ¿Dónde estáis? ¡Venid!

Todo permanecía quieto y en silencio. Incluso las cigarras tomaron un respiro en ese momento. Alguna mariposa aleteó cerca, alguna abeja que buscaba una flor nueva, algún que otro acelerado moscardón, pero por lo demás todo era calma, y los niños no se veían.

– ¡Josefa, por favor! ¡María, Laureano! ¡Venid! ¡Venid rápido!

Don Laureano miraba los aviones acercarse y volvía su cabeza en todas direcciones tratando de localizar a los niños. ¡Oh, Dios! ¡Ayúdame! Siguió gritando:

11

−¡Laureano! ¡María! ¡Josefa! −ponía las manos alrededor de su boca improvisando un altavoz. Quizá estaban lejos y no le oían.

Por fin les vio aparecer detrás del muro.

−¡Gracias a Dios! ¡Venga, que hay prisa! −Don Laureano se dio cuenta de que faltaba Josefa. Alarmado preguntó−: ¿Y Josefa?
−¡Jugábamos al escondite, papá! ¡No lo sabemos!
−Bien, pues ya vendrá −y con voz imperiosa siguió conminándoles−. Escondeos debajo de la mesa, en el comedor, y no salgáis de ahí hasta que yo os lo diga, ¿entendido? ¡No os mováis de ahí debajo! Voy a avisar a mamá, a la tía y al abuelo. ¡Venga, rápido! ¡Debajo de la mesa!

Con los gritos de Don Laureano, los de la casa se habían presentado ya en el comedor, salvo el abuelo, que aún bajaba trabajosamente las escaleras.

−Asela −dijo don Laureano a su mujer−, falta Josefa. Escóndete con los niños, que yo salgo por ella.

I

Papeles viejos

Barcelona, otoño de 2007

– ¡Sara, por favor! Ven, ayúdame con esta caja, que pesa mucho.

Marta estaba encaramada a una escalera de mano, sacando cosas del altillo del pasillo. El piso era pequeño, de sólo dos dormitorios, pero ella siempre fue como una hormiga, atesorando objetos a los que alguna vez se les supuso valor porque fueron importantes para alguien cercano. Especialmente guardaba papeles. De éstos últimos disponía almacenados en sus formas más diversas: cartas, postales, libros, trabajos infantiles –suyos, de su hija Sara, ¡de sus padres!–; apuntes, revistas, diarios personales, notas domésticas –de sus hermanas, sobre todo–, folletos, carteles, periódicos.

La caja para la que Marta requería ayuda era de las viejas, de cartón, y resistía asombrosamente el conocido fenómeno de la desintegración de los cuerpos pretéritos. Procuraba no caer mientras acercaba la caja a Sara, bajándola lentamente en horizontal.

– Mamá, no sé por qué guardas estas cosas, si nunca las miras…
– Bueno, hija, ahora voy a mirarlas.
– Ya…

Los Papeles del Abuelo

Sara tomó la caja con cuidado, pensando que sería mejor evitar que se rompiera, pues mucho se temía que, si se desparramaba su contenido por el suelo, el trabajo podría ser doble… o triple.

– Voy a ordenar el altillo. Es verdad que hay cosas que no se usan hace tiempo y procuraré tirarlas –Marta miró a su hija, que le sonreía, pues las dos eran conscientes de que a la madre se le partía el corazón cuando debía desprenderse de algo, sobre todo si ese algo se adentraba en el pasado remoto del siglo XX, y ya no digamos si era de la primera mitad de esa centuria.
– Venga, mamá, ánimo, que igual consigues deshacerte de una libreta de hojas en blanco, una taza sin asa y… una hebra de hilo de un color pasado de moda.
– Menos guasa, niña, menos guasa.

Era sábado por la mañana y se concedían dormir hasta tarde. Cada una se levantaba cuando le parecía y desayunaba con calma, no como los días de trabajo y clase. Era a principios de octubre, pero no llovía y hacía una temperatura tan agradable que permitía tener las ventanas y la puerta del balcón abiertas. Y parecía que el sol luciría realmente con fuerza durante un buen rato. Tenían la gran suerte de vivir en un piso alto que daba a una rambla llena de esos grandes árboles plantados por toda la ciudad conocidos como plátanos, y desde su casa los veían por encima. Si era primavera, lo que contemplaban era un hermoso río de color verde intenso que avanzaba según el viento mecía las enormes copas; si era invierno, las ramas grises y los troncos descamados, con alguna hoja seca que había olvidado desprenderse cuando tocaba. Ahora, a principios de otoño, quedaban todavía muchas hojas, pero de un verde desteñido o ya marrones, y no tardarían en caer, sobre todo si el viento y la lluvia colaboraban.

Marta se había recogido su media melena castaña en una cola y vestía un viejo chándal que en algún momento fue negro, con unas finas rayas rojas y blancas en la parte exterior de las perneras y de las mangas. Tenía ropa deportiva que usaba para estar por casa, ya que caminar era todo el deporte que ella practicaba y el equipo especial que se requería para esa actividad era simplemente un buen calzado.

Sara también se había recogido el pelo, una larga melena negra, en un moño que dejaba muchos cabellos sueltos en forma de pequeños plumeros. No se había quitado el pijama y todavía estaba terminando de desayunar.

Cuando Marta y Sara llevaban a cabo juntas tareas domésticas, llegaban a un acuerdo respecto a qué música las acompañaría. Por fortuna, la línea melódica de cualquier época las hermanaba. Y en los últimos tiempos, la música *gospel*. Una de las hermanas de Marta, y también una compañera de trabajo, cantaban en un coro que interpretaba básicamente temas de este estilo. Así que tenían varios *cedés*, y sonaba uno de ellos cuando comenzaron a vaciar el contenido de la vieja caja que acababan de bajar del altillo.

– Estas cosas me las pasó mi madre… –dijo Marta, observando con un poco de detenimiento los primeros escritos que sacaba– y son papeles del abuelo Laureano, creo. De tu bisabuelo, Sara.
– ¿El maestro?
– Sí. Pero no sé por qué los tengo yo…
– Yo te lo diré: porque seguro que los iban a tirar y *alguien* los recogió.

Lo cierto es que Marta pensaba de una manera más o menos difusa al principio (pero a medida que transcurría el tiempo, con más convencimiento) que cada cual tenía su historia y que, del mismo modo que objetos absolutamente cotidianos se encontraban por millares en museos de todo el mundo por el solo hecho de ser antiguos, las cosas que alguna vez fueron queridas por los que nos amaron, por los que nosotros amamos, por los que nos precedieron; las que adornaron el escenario de momentos de fiesta y alegría, las que nos acompañaron en circunstancias importantes, deberían estar en una especie de museo de la vida de cada cual. Lástima que en Barcelona, en su piso tan pequeño, aquello fuera prácticamente imposible. Y casi nunca podía permitirse el lujo de tener a la vista esos queridos objetos para su contemplación y disfrute. Para colmo de males, cuando pretendía añadir alguno más a su colección –una vez agudizado el ingenio para el *tetris* que ella, como muchísimas otras amas de casa, había desarrollado hasta extremos insospechados–, finalmente y de todos modos, tenía que desprenderse de alguna cosa para hacer un lugar para lo nuevo. Pero, a pesar de todo, en principio Marta guardaba las cosas.

Ella conservaba todo lo imaginable y de todos, salvo de una persona. Se había deshecho de todas las cartas y postales recibidas desde lugares más o menos distantes, de todas las notas que había encontrado, de los poemas que le había escrito, de alguna pieza de ropa, de los pequeños regalos con que la obsequió, y especialmente de las fotografías. Pero por más que borró (o lo intentó) los recuerdos de su corazón y de su mente, había algo suyo que guardaría para siempre, pues no podía ser de otro modo, ya que lo amaba más que a su propia vida: su querida, su preciosa hija Sara.

La chica comenzó a ayudar a su madre con lo que parecían cartas y apuntes escritos a mano en dos o tres tipos de papel que

no se distinguían demasiado bien, ya que todos amarilleaban por el paso del tiempo. Pudo comprobar que un completo ecosistema se había instalado en la caja y entre los papeles.

> – ¡Mamá! –exclamó Sara con cara de asco– ¡Esto está lleno de vida! Por decirlo de una manera suave… y no decir *bichos asquerosos*.
> – Sí, quizá deberíamos ponernos guantes, ¿no?

Sara decidió ir a lavarse las manos y fue a buscar unos guantes de látex para continuar. Dejó un par cerca de su madre sobre la mesa del comedor, que era donde se habían instalado, por si ella también quería usarlos después de todo. Sara protestaba en voz alta –posiblemente sólo para que constara que, como buena hija adolescente, lo había hecho– pero en realidad le encantaban esos viajes al pasado y las viejas historias de la familia, y los mundos que descubría tan distintos al suyo. Si la vida no podía concebirla sin teléfono móvil, ¿cómo podía ser vivida *sin teléfono*? ¿Y aquello de esperar a que la ruedecita diera la vuelta completa para marcar el número siguiente? ¿Y eso de ir a la centralita del pueblo para telefonear? ¡Qué tiempos casi prehistóricos habían vivido sus parientes!

Sara se fijó en que había una gran mayoría de escritos con la misma caligrafía, del bisabuelo Laureano, pues así venía la firma en las cartas. Se puso a clasificar los documentos y decidió distribuirlos por montones encima de la mesa: las cartas de Laureano por un lado; otros escritos de Laureano, por otro; cartas de Francisco, dos; cartas de Asela, la esposa de Laureano, unas diez de cuando éste cumplió el servicio militar en Melilla estando ya prometidos; cartas de acuse de recibo de los artículos de las revistas, casi siempre por parte de un tal Ernesto Trenchard.

Llevaban ya un buen rato ocupadas en la tarea. En ocasiones canturreaban las canciones que sonaban en el aparato de música; otras veces alguna de las dos se animaba a hacer un dúo con el solista y, ese día en concreto, no cantaban a grito pelado todos los coros porque realmente estaban concentradas leyendo con detenimiento aquellos viejos papeles. En la caja, colocada a un extremo de la mesa rectangular, iba disminuyendo el contenido mientras que los diferentes montones de papeles crecían, si bien de manera desigual.

– ¡Anda! Mira, mamá, mira esto –exclamó Sara sorprendida.
– ¿Mmm? ¿A ver? –Marta levantó la vista de lo que tenía en las manos.
– Pero, ¿qué idioma es éste? –le pasó a su madre una cuartilla de un grupo de seis, escritas por las dos caras, en la que se veía un texto no sólo en otra lengua sino en una escritura que no era en alfabeto latino.
– ¿Puede ser árabe? –dijo Marta.
– No sé... O hebreo... Griego no parece, pues no veo ninguna de las letras que conocemos por las fórmulas de matemáticas.
– ¿Te has fijado entre qué papeles estaba?
– Pues... no. Bueno, entre todas estas cartas de Laureano a Asela, a Araceli, a Magdalena... y a alguno más.
– Creo que esas personas que mencionas son las tías de mi madre; alguna vivía en la casa de Valladolid... Déjame ver el papel. Cuidado que no se pierda el resto de las hojas.
– Mamá, a mí me parece que es el mismo papel que el de alguna de las otras cartas. Mira –Sara le acercó una cuartilla que parecía idéntica, escrita en castellano.

Marta miró al trasluz, observó también la tinta y, aun sin tener ni un solo conocimiento técnico al respecto, lo cierto es que parecían iguales tanto la una como la otra.

– Caramba, caramba… ¿Ves como no es tan aburrido hurgar entre *mis* cosas viejas? ¿Quién nos iba a decir que encontraríamos un misterio… por resolver?

– Oh, sí, ya lo estoy viendo –Sara impostó la voz para dar intriga a sus palabras–: *El enigma del barrio de la Verneda.* Bueno –añadió, cambiando de registro–, esto no queda serio, pero ya lo encontraré, ya… *El enigma escondido en la caja del altillo…* Tampoco. Espera, espera… –la chica pedía un momento con un gesto de la mano.

Marta la miraba sonriendo. La veía feliz. La deseaba feliz por mucho tiempo.

– *El enigma de los viejos papeles escondidos. El misterio que cambiará la historia de la humanidad…* Ten paciencia, que tarde o temprano daré con algo que suene bien.

– Escucha, Sara: se me ocurre que podrías consultar con algún compañero de los que hayan empezado a hacer alguna filología de las clásicas –hizo una pausa mientras pensaba un momento–. Y ahora, ¿por qué no bajas a la papelería antes de que cierren y fotocopias todo el documento, por no andar arriba y abajo con unos papeles tan delicados que están muy viejos, y empezamos una investigación en serio?

– ¡Me parece muy bien!

– Yo puedo preguntar también en el trabajo a ver si alguien nos puede echar una mano con esto. Hablaré con María José, mi compañera, a ver si puede darme alguna pista de por dónde tirar.

– Vale. Haré dos juegos de copias.

Sara se quitó rápidamente el pijama y se puso unos vaqueros, una camiseta y las zapatillas deportivas. Fue al espejo del baño a ver si el peinado pasaba por tal y quedó satisfecha con lo que vio.

Se puso una cazadora y tomó el monedero. Cuando ya abría la puerta de la calle para llamar al ascensor, cerró y entró de nuevo.

– Mejor si me llevo los papeles para hacer las fotocopias, ¿no?
– Sí, creo que será mucho mejor –Marta los estaba acabando de introducir en una carpeta de plástico–. Anda, toma, que no sé dónde tienes esa cabeza…
– Aquí, ¿no? –dijo Sara con cara de susto mientras se la tocaba para comprobarlo, y salió riendo de la casa.

El día transcurrió plácido. Sara quedó con su amiga Silvia y el resto de la pandilla por la tarde y Marta siguió mirando los papeles descubiertos en aquella caja. Desde luego, no acabaría de ordenar todo el altillo antes de la noche, ni ese fin de semana, estaba claro. Sentada en el sofá, leyó con detenimiento varios de ellos de principio a fin. Alguno de los artículos manuscritos del abuelo que ahora tenía entre sus manos recordaba haberlo leído siendo una adolescente, publicado en las revistas que su padre tenía encuadernadas por tomos, en verde oscuro y azul marino, con letras doradas en el lomo: *El Evangelista*, *El Joven Cristiano*, con la fecha indicada de los años veinte y treinta.

Con especial interés y curiosidad se entretuvo en la lectura de las pocas cartas de amor entre sus abuelos: cartas comedidas, respetuosas, pero a la vez llenas de ternura, de alegría y de promesas de futuro. ¡Qué hermosas palabras! Cómo expresaban tantos sentimientos, tantos votos de amor, compromisos y esperanzas.

En algún momento, sin saber cómo, comenzó a hacérsele un nudo en el estómago. Poco a poco le fue subiendo hasta la garganta. Le presionaba la lengua, los dientes, hasta que se le puso detrás de la nariz y, finalmente, le alcanzó los ojos. Desde allí, en

forma de lágrimas que comenzaron a resbalarle por las mejillas, suavemente al principio y copiosamente después, el nudo no pudo deshacerse hasta que unos sollozos se le escaparon de la boca de manera incontenible.

Aquella tarde de sábado de otoño, en el sofá de su casa, se habían abierto de nuevo las compuertas. Aquellas viejas cartas de amor llenas de palabras antiguas habían sido la llave; y Marta, de nuevo y sin querer, a pesar de todo el esfuerzo diario de control sobre sus sentimientos, fue consciente de su enlutada soledad. Por eso lloraba, mientras caía la noche sobre los tristes árboles de la rambla.

II

Un misterio

Un misterio

Era lunes y llovía. Estos datos, en sí mismos apenas relevantes, podían cobrar un sentido especial si una iba a trabajar antes de que amaneciera, en un autobús público, teniendo que esperar un buen rato en la parada a merced de un viento racheado que ponía de manifiesto la inutilidad de un hermoso paraguas. Era lunes, llovía, y Marta se había levantado muy temprano, como cada día, para dirigirse a la oficina. Disponía de la posibilidad de hacer un horario más o menos flexible y siempre, desde que Sara era pequeña, había procurado realizar la jornada intensiva para comer en casa y estar con la niña por las tardes. Este año su hija había comenzado a ir a la facultad, pero ella ya estaba acostumbrada al horario que se había medio instalado en su cuerpo durante tantos años, instalado en todo salvo en el madrugón. Lo que no llevaba nada bien (no quería, si podía evitarlo) era volver tarde a casa. Pero era lunes, después de un fin de semana extraño a raíz del encuentro de unas palabras de amor perdidas en el tiempo y que la habían alcanzado, y además llovía. Y la lluvia la incomodaba enormemente. Muchas veces se había preguntado qué habría hecho de haber nacido en un lugar con un clima lluvioso. Pensaba en Galicia, por ejemplo, donde había nacido su vecina. O el clásico Londres. Se hubiera acostumbrado, ¿no? Marta cerró el paraguas y procuró guarecerse en los treinta centímetros escasos de un portal cercano al poste de la parada hasta que llegara el autobús.

Por fin lo vio girando a lo lejos, desde la avenida, y respiró aliviada. Siempre que llovía, el autobús se retrasaba. Eran las matemáticas de la ciudad.

Marta tomaba el autobús más o menos a la misma hora cada día y relativamente cerca del origen de su recorrido, de manera que, quisiera o no, acababa coincidiendo con las mismas personas, a veces incluso durante años. A esa hora no había niños —algunas compañeras que entraban más tarde comentaban que a algunos los habían visto crecer con el transcurrir del tiempo—, pero sí se encontraba con el club de las mujeres de la limpieza. ¿Cómo podían ir tan animadas siempre? Ocupaban los mismos asientos día tras día e iniciaban la tertulia con la incorporación de una cuarta señora que subía en la misma parada que ella.

– Que mi pequeña, mi Paula, está embarazada –escucha Marta que dice la de más edad.
– ¡Anda! ¡Enhorabuena!
– ¿Cuántos años llevaba ya casada? –interviene otra.
– Siete.
– ¿Y cuántos nietos tendrás con el que viene? –pregunta la rubia.
– Con éste, tres.
– Yo te gano, ya tengo cinco…

Marta las oía cada día comentar sobre todo las novedades de sus familias. No las grandes noticias de *la tele*, como decían ellas; o, en todo caso, sólo escogían las que creían que iban a afectar de manera más directa a sus hijos: las hipotecas, las ayudas por nacimiento, los sorteos de pisos de protección oficial… en ocasiones, las había escuchado tratar alguna de las noticias *del corazón*, pero no mucho. Quizá analizaban estos temas cuando ella

ya había bajado, según un orden de prioridades bien definido, no podría asegurarlo. Pero ahí sí que notaba un marcado contraste con algunos de los hombres que también viajaban en el autobús cada mañana: ellos solían hablar de fútbol. Ya fuera lunes, martes, o cualquier otro día de la semana, hubiera habido partidos o no.

— ¡La culpa no sería del árbitro si hubiera aprovechado todas las ocasiones que tuvo en lugar de protestar porque te anulan un gol!
— Lo que tú digas. Pero este muchacho ya ha dado todo lo que tenía que dar aquí. *Deberíamos* venderle y traer un goleador que se haga con el equipo que ahora mismo *tenemos*.
— El entrenador no sabe motivar a estos muchachos. Habla muy bien de cara a la prensa, pero en el vestuario, no sé yo…

Evidentemente, ellos hablaban de cosas importantes.

Marta prefería aprovechar el tiempo para leer. Desde siempre. En cualquier momento, en cuanto hubiera oportunidad y nada mejor que hacer. Tenía cerca de tres cuartos de hora de trayecto para ir al trabajo y tres cuartos de hora más para venir, sin transbordos. Todo un lujo.

Si algo aprendió de sus padres era a amar los libros, a reverenciarlos. Ellos no tuvieron la oportunidad de asistir durante mucho tiempo a la escuela en aquellos durísimos años de la posguerra, pero descubrieron los libros y sus mundos. Y este hecho, a cada uno por su lado, le reconcilió con la vida a pesar de la extrema escasez que padecieron en casi todo lo demás. Esta pasión por los libros la transmitieron a sus tres hijas. Marta era la mayor de las hermanas y, antes de que cumpliera tres años, su padre ideó un sistema para enseñarle a leer cantando las letras y las sílabas que formaban al ser combinadas.

Recordaba pocas reprimendas severas por parte de su padre, pero la mayoría estaban relacionadas con abrir de mala manera un libro, con dejarlo en cualquier sitio de modo que hubiera riesgo de que se estropeara, con prestar libros a amigos sin preguntar ni avisar –algunos de los cuales jamás volvieron a la biblioteca paterna–; ¿doblar la esquina de una página para recordar el punto de lectura? ¡Jamás de los jamases!

Canciones, cuentos, padres, libros, hermanas, risas, vacaciones… todo iba en un lote. Era una sensación maravillosa de bienestar al recordar su infancia pensando incluso en cada uno de los componentes por separado. Libros. Los compañeros que sí fueron fieles a lo largo de su vida. Los que la hicieron reír, los que la hicieron pensar. Los que la comprendieron y expresaron con sus palabras lo que ella sentía. Los que la distrajeron. Y aunque en los libros no halló todo lo que buscaba, todo lo que su corazón anhelaba, en cualquier caso no sólo le hicieron mucha compañía, sino que algunos imprimieron una huella de manera permanente en ella.

Así que, a pesar de todo, a pesar de que era lunes y llovía, Marta consiguió sentase en el autobús y sacó del bolso la novela que estaba leyendo en aquellos días. No todo era tan adverso como parecía, y la rutina comenzó a realizar su función balsámica.

Llegó a la oficina con apenas cinco minutos de retraso sobre la hora que ella preveía, encontrándose con los compañeros que también se dirigían al reloj para fichar la entrada. En las oficinas de la Administración ésa no es una hora de sonrisas, de manera que destacan aquellas personas que se levantan de buen humor… y consiguen llegar al puesto de trabajo sin perderlo. Algunos compañeros de su departamento fueron directamente a las máquinas de café aun antes de quitarse las chaquetas o dejar los bolsos. Era

perfectamente comprensible, pues había que poner en danza una semana entera.

Marta buscó con la mirada a su compañera María José. Después de casi veinte años en la Administración habían coincidido en más de un departamento. Desde hacía cuatro, estaban en una de las agencias de atención al público y se habían hecho todo lo amigas que una relación de trabajo permite. Pero no había llegado todavía.

– Buenos días –dijo Marta, en general, para que contestaran los que se sintieran con ánimo de hacerlo: sólo tres de un grupo de unos diez.

Se sentó en su silla, en su escritorio, y puso en marcha el ordenador mientras abría el cajón para dejar el bolso. Invariablemente miraba el correo interno –el único que llegaba allí– con la esperanza de recibir un mensaje que cambiara su vida. Para bien, claro. Pues por muy mal que estuvieran las cosas, que no era el caso, siempre podían empeorar, y lo sabía. Con esa misma ilusión abría el buzón en casa, el de correo convencional, continuamente esperando recibir una carta, un paquete, algo especial. Nunca lo admitiría, ni siquiera ante sí misma, pero era la verdad. Y con su buzón de *Yahoo* igual: aguardando algo que cambiara una vida tan anodina, vivida con tanta lucha, tanto esfuerzo y sacrificio, pero insignificante al fin y al cabo. No iba a llorar, porque no quería hacerlo, pero la cuestión verdaderamente lo merecía.

Entre el funcionariado ocurría que, dada la particularidad de la desmotivación general, o tenías la cabeza muy bien amueblada o podías acabar pasando de todo. La mediocridad podía considerarse un grado. Positivo, claro. En algunos departamentos el trabajo iba a rachas, de manera que los trabajadores podían ir durante unas semanas ahogados de faena o bien estar muertos de asco. En las agencias de cara al público, como la de Marta, la exigencia, sin embargo, era de locos. Cada semana había normativas nuevas que afectaban a la gestión de cara a los ciudadanos y nunca nadie reconocía el sobreesfuerzo de formación permanente que ello requería. La mayoría de compañeros realizaba tareas por encima de su categoría, es decir, cobraban menos de lo que merecía el trabajo realizado. Y no sólo había que atender las infinitas colas de público –que las prestaciones que ofrecía un gobierno generoso hacían aumentar mes tras mes– sino que además había que aguantar a cualquier persona que le dijera a una que le pagaba el sueldo.

Este extremo enfurecía especialmente a Marta. Sobre todo si el comentario era de personas cercanas y que desconocían el trabajo que se hacía y el servicio que se daba a los usuarios. ¿Quién pagaba a quién? Muchos eran los que vivían del subsidio de desempleo aun estando en condiciones de trabajar o alargaban bajas por enfermedad estando sanos. Ella siempre pensó que si tanta envidia tenían, si tan maravilloso era su trabajo, ¿por qué no prepararon unas oposiciones… y compitieron con seis mil, diez mil o más personas, como hicieron ella y muchos otros, por un puesto allí? ¿Por qué no lo hacían ahora? ¿Tenían antecedentes penales o qué? ¿Les daba pereza el esfuerzo de estudiar? ¿Les daba miedo fracasar? ¿Sabían quizá que, en cuanto se descuidaran, les congelarían el sueldo si las cosas no iban bien con los presupuestos generales? En fin, en fin. No era cuestión de hacerse mala sangre antes de las ocho también por eso.

Por fin llegó María José. Traía mala cara, de preocupación y de no haber dormido lo suficiente. Marta se levantó y se acercó a su mesa, mientras la compañera dejaba la cazadora en la silla.

– Hola, ¿qué tal? ¿Va todo bien?
– Bueno, tuvimos que ingresar a mi madre de urgencias el sábado por la noche. Una embolia.
– ¡Ostras! ¿Y cómo está?
– Pues mal, la verdad. Se le ha paralizado el lado izquierdo del cuerpo. Mi padre está muy preocupado.
– Claro. ¿Cómo es que has venido?
– Me guardo los días de permiso para cuando mi padre esté más cansado y sea más necesario que yo vaya a ayudar a cuidar a mi madre.
– Pues vaya, sí que lo siento –dijo Marta–. ¿Y qué pronóstico tiene?
– ¡Buf! Es muy mayor, son ochenta y dos años ya. Nos ha dicho la doctora que son muy importantes estos primeros días y la recuperación de la movilidad que pueda producirse. Lo bueno es que mi madre está tranquila. Está consciente, ve lo que pasa, pero está tranquila.
– Eso es una buena cosa, María José. Os hará más llevadero este mal trago a todos.
– Sí, ya lo sé. Pero igualmente es duro.

Marta se acercó un poco más a su compañera, que estaba sentada, y antes de regresar a su sitio le dio un suave apretón en el hombro.

Aquella tarde, cuando Sara llegó a casa después de las clases, lo primero que dijo al entrar fue:

– ¡Mamá, ya he hablado con un compañero que me va ayudar a descifrar el enigma!
– Está bien hija, pero tampoco será como en las novelas, ¿eh?
– ¿Por qué no? ¿Cómo lo sabes?

Marta suspiró. Le gustaba ver a Sara ilusionada, pero quería hacerle tocar un poco con los pies en el suelo para evitar un chasco al final. Sin embargo, fue su hija la que habló primero:

– A ver, mamá, ¿qué probabilidades había de encontrar un escrito de estas características entre los papeles familiares?

Marta miraba a Sara y, cuando se disponía a abrir la boca, ésta continuó:

– ¿Quién te dice a ti, caso de que esto sea un escrito del abuelo (que no lo sabemos, sólo sabemos que estaba entre sus papeles), que su contenido no va a ser de mucho valor, o de algo de valor, de acuerdo, y por eso está en un lenguaje encriptado? Es más, creo que deberíamos andarnos con mucho ojo.
– ¿Por qué? –Marta no salía de su asombro.
– Piensa un poco con la cabeza, mamá. Tiene que ser algo importante, si no, ¿para qué tanto misterio? Y hay que ir con cuidado, porque quizá hemos encontrado un documento que puede interesar a otras personas, del cual habrían perdido la pista, y jamás imaginaron que pudiera recuperarse de esta manera tan casual en tu caja vieja de papeles del altillo. Por eso, al compañero que me va ayudar, a Guillem, que ha empezado este año a hacer filología alemana…
– ¿Alemana? ¡Pues sí que nos ayudará!
– Bueno, él se pondrá en contacto con alumnos de otras filologías. A él, digo, sólo le daré fotocopiado un pequeño

párrafo para que descubra la clave de interpretación, pero que no tenga todo el texto. Para evitar la tentación.

Marta estaba en la cocina, acabando de preparar una macedonia para la cena. Se sentó en uno de los taburetes y le dijo a su hija:

– A ver, siéntate, que tengo que decirte varias cosas. Primero: creo que te has excedido en lecturas de cierto tipo y debes recordar que las novelas son ficción, es decir, mentira; es decir, no ocurren en la vida real; es decir, relájate.
– ¡Ja!
– Segundo: ¿quién te ha dicho a ti que es un texto encriptado? ¿Es que no te das cuenta de que no conocemos ningún idioma que no use nuestro alfabeto, pedazo de lumbrera? ¡Igual es hebreo y ya está! O cualquier otro. Y no es que quiera ser aguafiestas.
– Vale.
– Tercero: de todos modos nos encontramos frente a un texto bien curioso y suficientemente extenso como para pensar que quien lo escribió efectivamente quería explicar algo a alguien.
– Pues eso.

Sara se quedó callada un momento. No se la oía pensar porque su cerebro no hacía ruido, pero estaba recapitulando. Se levantó y cogió un vaso. Abrió la nevera, tomó el envase de la leche y lo dejó en el mármol. Fue al cajón de los cubiertos, y de allí sacó una cucharilla. Marta la observaba medio divertida. Sara tomó el *Colacao*, puso dos cucharadas en el vaso, añadió la leche y lo metió en el microondas para que se calentara.

– Dentro de un momento, mamá, te traeré la lista de cuestiones que creo que hay que averiguar con respecto al escrito.

– Muy bien, Sara, muy bien. Tener una línea de trabajo siempre ayuda a no perderse por el camino.

La chica, cuando sonó el timbre del microondas, sacó el vaso y se fue a su habitación. Al cabo de unos minutos regresó y leyó a su madre las siguientes preguntas:

– Uno: ¿En qué idioma está el texto? Dos: ¿Está encriptado?

Aquí Sara hizo una pausa:

– Yo tengo un pálpito de que sí.
– *¡Un pálpito!* ¿Y por qué tendría que estarlo? –Marta suspiró profundamente–. ¡Qué fijación, hija!
– Mamá, imagínate que son las indicaciones para encontrar, por ejemplo, una herencia que hubo que esconder a causa de la guerra. ¡No va a estar todo explicado ahí claramente para que lo encuentre el primero que lo lea!
– En fin, ya veo que es inútil. De todas formas, tan *claramente* no sería el caso. Pero, para tu información, te diré que lo que yo sé de herencias en la familia es que a tu bisabuelo, precisamente, le desheredaron.
– ¡Le desheredaron! –Sara abrió los ojos como platos–. ¿Por qué?

Marta se encogió de hombros. No le apetecía contar la historia en ese momento.

– ¿Eran ricos, mamá?
– Creo que hasta tenían título y todo…
– ¡No me lo puedo creer! ¡No me lo puedo creer! ¿Ves? Aquí hay mucho más misterio de lo que parece… –Sara agitaba

las manos, la hoja con las preguntas, y movía expresivamente la cabeza.

– Anda, tú sigue con la lista, que te desvías.

– Sí, sí. Tres: ¿A quién va dirigido el texto? Cuatro: ¿Cuál es el contenido, o sea, la traducción? Cinco: ¿Quién es el autor? Sexto, y no te rías, mamá: ¿Cambiará en algo la historia de la humanidad, o de nuestra familia, o de alguien, si se da a conocer? Ya está.

– Pues ya tienes trabajo, niña –dijo Marta poniéndose en pie–. ¿Cuándo vuelves a ver a Guillem?

– Mañana. Bueno, a Guillem y a uno que estudia filosofía que siempre va con él, que también era del instituto, que se llama Marc. Y Silvia, claro, que siempre quedamos después de clase.

– Muy bien. Pues ánimo.

Sara guardó silencio un momento, antes de preguntar:

– Oye, mamá; esta historia de tu abuelo, que le desheredaron…

– Que te la cuente la abuela un día que vayamos a comer a su casa…

Marta salió de la cocina meneando la cabeza y pensando que su hija iba a estar bien entretenida con el misterio de los viejos papeles y las antiguas historias familiares, y se alegraba de que estos pequeños descubrimientos no coincidieran con época de exámenes, pues podrían distraerla más de la cuenta.

Cuando al día siguiente, a la hora de la comida, Sara abrió la puerta con tal ímpetu que no la arrancó de sus goznes porque era maciza y antirrobo, Marta supo que había noticias frescas sobre el escrito.

– ¡Mamá! ¡Yo tenía razón!
– Se dice hola, ¿no? Incluso podrías darme un beso y todo…

Sara dijo un *hola* distraído a la vez que, mientras daba un beso a su madre, sacaba de su mochila la carpeta del texto misterioso.

– Escúchame bien, mamá, porque esto es importante: el texto está encriptado.

Marta esperó sin decir nada, segura de que no hacía falta preguntar. Apagó el fuego del arroz con pollo que acababa de preparar y, aunque eran cerca de las cuatro y tenía hambre –y suponía que Sara también–, se dio cuenta de que minucias como éstas nada podían frente a una investigación que seguramente cambiaría el curso de la historia.

– El texto está escrito en árabe. Esto no nos ha costado mucho saberlo, pues nos hemos acercado a la Facultad de Filología Árabe y una compañera marroquí nos lo ha confirmado. Nos ha dicho que, efectivamente, los caracteres son árabes, pero sin tener en cuenta que cada letra tiene distintas formas según vaya al principio, en medio o al final de la palabra, o sola. Y todos los signos son como si fuera aislada, que es como lo dicen ellos. Y que parecen escritos por un niño, por alguien que está aprendiendo a escribir. Y, esto es lo más curioso, no ha identificado ni una sola palabra.
– ¿Qué quieres decir?
– Pues que aunque las letras son árabes, digamos que no están agrupadas formando palabras árabes. En todo caso, la chica no conocía una sola de las palabras que le hemos enseñado, ni aun haciendo un esfuerzo por imaginar qué podían decir.

– ¿Cuánto trozo le has dejado ver? ¿Un párrafo muy corto?

– Ya lo he pensado, pero creo que no, mira –Sara sacó de la carpeta la nueva fotocopia que, al parecer, era la que facilitaba a sus compañeros para que la ayudaran.

ض س غ ذار حضضشضظك شخ رفض حضضشضظك ض جغض
اغاظض اغثاط اغ جغض ض غذجظطسجسج فض أسمجضجغغ
ذاشذج اشسجساصظاشج رفض شمسخ حظضسزادقض حظض غ
اغثاط حضضجد ض شخ شمسخ حخكظا ضظظط
شضضغفا حذج ذار فضضغفا ذث ذاغشضغرج
شذعاشضتجت
ذجغذغر اشكتازطع ضغجدج حاعخضطض ض ذغض مظج
شذشخ ذاغشضغخغغعج ا حضضذعاسفاد خعاعفضزطذضطسج
اغعذكازج ذار حازاتجس حاغ شارجسخ دار

Dejaba ver las nueve primeras líneas del texto, seguramente más que suficientes para entender algo.

– ¿Ves?

– ¿Esta compañera marroquí conocía bien el árabe? Igual se ha criado aquí, en España.

– No, no. Llegó hace tres años. Ella estudió en su país y en su lengua. Lo que hablaba con acento era el castellano.

– Pues vaya.

– Y ahora viene lo bueno: en principio, bueno, en principio y al final, el árabe se escribe de derecha a izquierda, pero tal como se ven los espacios en blanco en las líneas –Sara le mostró nuevamente el papel– parece que éstas se terminan viniendo de la izquierda, es decir, escribiendo como nosotros, de izquierda a derecha. Yo lo he mirado en el resto del

documento y es así. De manera, mamá, que tenemos entre
las manos un enigma escondido en un texto encriptado.

– Lo que significa, si no te importa, que mejor comemos algo
antes de continuar desentrañando este misterio… para cobrar
energías, más que nada, que buena falta nos va a hacer.

El mes de octubre avanzó; los plátanos de la rambla perdían
inexorablemente sus hojas, el sol salía más tarde por la mañana y
oscurecía más temprano, y la investigación de Sara no avanzaba.
En aquellos días Marta se replegó hacia su interior, hacia lo que
recordaba de la familia, del pasado, según las historias que entre
tías, tías abuelas y otros parientes había logrado recomponer a lo
largo de los años. Y también, a pesar de todo, volvió a revivir su
historia particular. Comenzó a tener la expresión más ceñuda y a
costarle conciliar el sueño.

No era la primera vez que sufría períodos de insomnio.
Desde la época de las amargas infusiones de valeriana se había
avanzado mucho, y ahora tomaba unas pequeñas píldoras, de
valeriana también, pero se ahorraba el hervir el agua y luego esperar que se enfriara para poder beber la tisana. Todo era mucho
más sofisticado.

Muchas veces se había preguntado si los hombres padecían
también insomnio verdaderamente. Lo había leído en las novelas,
es cierto, acerca de personajes masculinos atormentados. Pero su
estudio personal, recabando información directa durante más de
veinte años, le decía que probablemente los libros volvían a mentir.
De los datos de que ella disponía se desprendía que los hombres,
en su mayoría, en cuanto se acostaban en la cama, quizá en cuanto
olían las sábanas, caían dormidos prácticamente al instante… y la

mayoría roncaban. Incluso en momentos en los que hacerlo no revestía nada, pero absolutamente nada, de romanticismo.

Marta había aprendido a no ponerse nerviosa cuando el sueño se le escapaba por las noches y, por supuesto, llenaba su insomnio de mundos de novelas, preferiblemente de trasfondo histórico, los cuales abandonaba cuando sus ojos daban muestras contundentes de querer cerrarse en serio.

Al cabo de varios días de descansar mal, cuando Marta se dirigía al trabajo en el autobús de siempre, consideró prudente no leer, puesto que se dormía. Pensó que debería hacer algo y distraerse, y dejar de dar vueltas a las cosas que no se podían cambiar y, además, eran dolorosas. Cerró el libro, lo guardó en el bolso y se puso a mirar por la ventanilla. Ahora hacía ya todo el trayecto de noche y lo cierto es que no reconocía las calles, pues apenas las miraba normalmente.

Cuando llegó a su departamento en el trabajo su compañera estaba allí.

– Buenos días –saludó Marta a nadie en particular–. Hola, María José. Tienes buena cara.
– ¿Sí? Ayer a mediodía salió mi madre del hospital. Puede caminar ¡y sin muletas! Aunque la mano izquierda la tiene un poco torpe, ella está contenta… ¡porque siempre lo ha hecho todo con la derecha! Dice que sería mucho peor si hubiera sido al revés –la mujer sonreía con ternura.
– Tienes un sol de madre, ¿eh? Me alegro mucho, María José.
– Gracias. Oye, por cierto, y si me lo permites por aquello de que la confianza da asco: tú traes muy mala cara.

– Bueno, ya. Es que llevo unos días sin dormir bien –Marta no quería entrar en más detalles, así que aprovechó para pedir lo que tenía pendiente desde hacía algunas semanas–. ¡Oye! Igual tú puedes echarme una mano con una cosa.

– Tú me dirás.

– Resulta que hace unos días, ordenando unos papeles en casa... –Marta fue a dejar el bolso y acercó su silla– (es que puede ser un poco largo, por eso me siento) encontré un escrito en árabe, pero que resulta que no es árabe.

– Chica, tómate un café doble o algo, que no te explicas con mucha claridad que digamos.

Marta rió, se arrellanó en la silla, y en cinco minutos tenía explicado el asunto de manera lo suficientemente comprensible como para que María José apuntara:

– Entonces lo que necesitas es alguien experto en idiomas y en criptografía... que yo también he leído y sé de que va, gracias –y las dos se echaron a reír, flojito, porque algunos compañeros ya estaban concentrados en su trabajo–; y mira tú por dónde, este sábado no, pero el de la semana que viene por la tarde, un erudito como los de antes, que sabe de todo y de lenguas vivas y muertas (aunque de criptografía no sabría decirte), viene a dar una conferencia.

– Dímelo un poco más despacio, que me he perdido.

– Que el próximo sábado día diez de noviembre en el local de la iglesia, un tal Enrique Alonso, de Madrid, prestigioso conferenciante, licenciado en diversas especialidades y escritor, viene a dar una conferencia para padres y educadores sobre *La necesidad de educar en valores desde la familia*, o algo así. Y dado que es doctor en filologías clásicas (bueno, no sé en cuáles exactamente, pero domina el griego, el latín, el

hebreo, el copto... en fin, un montón de lenguas), quizá sería una buena ocasión para contactar con él y pedirle ayuda.

– Sí, claro. Así, por las buenas. *Oiga usted, que tengo unos papeles misteriosos...*

– Calla, que tú no le conoces.

– Pues precisamente es ahí donde veo el mayor problema. ¿Tú le conoces?

– No, pero...

– ¡Pues sí que vamos bien! –exclamó Marta, dándose una palmada en la pierna.

– ¡Shh! ¿Quieres escucharme o qué? –dijo María José controlando el volumen de su voz.

– Vale, dime.

– Este hombre tiene una vocación pedagógica por encima de todo. Atiende a cualquier persona que se le acerque: estudiante, feligrés, lector... Creo que es un fuera de serie. Estoy convencida de que, si le planteas la cuestión, te atenderá con mucho gusto. Le encanta hacerlo, siempre ha sido así.

– Bueno, déjame pensarlo.

– Vale, piensa lo que quieras, pero ¿a quién acudirás si no?

– También es verdad. Bueno, ponte a trabajar ya –le dijo Marta a su compañera, guiñándole el ojo.

– Sí, jefa. Ahora mismo.

Marta se levantó, condujo la silla hasta su mesa y encendió el ordenador. Se quitó la cazadora, la colgó en el respaldo, cogió el ratón y señaló el icono del correo. Lo abrió y... nada nuevo, por supuesto.

III

En casa de los abuelos

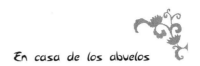

Aquel domingo Marta y Sara se dirigieron a Montbau, el barrio de los abuelos, en la falda de la montaña del Tibidabo. El día era limpio y soleado y, al salir del metro y comenzar a subir por la calle Poesía, Marta volvió a experimentar por un momento aquella sensación de pureza y fuerza que había sentido años atrás al salir del instituto a media mañana, cuando se acercaba a casa a por el bocadillo en la hora del recreo: arriba, al final de la calle, las montañas se recortaban en el azul intenso y brillante del cielo. La gran cantidad de pinos que se habían conservado en los jardines perfumaban el aire incluso a tan sólo unos metros de la ronda cargada de coches que alivia la ciudad en esa zona. Marta sabía que, si se acercaban a los parques, podrían recoger gran cantidad de piñas y piñones, pues la noche había sido ventosa. A menos que algún niño o algún abuelo se les hubiera adelantado, claro, que muy bien podía ser.

A medida que ascendía, si cerraba los ojos, Marta se veía transportada sin ninguna dificultad a los días en que venían los jardineros, bien temprano, con sus ruidosas máquinas a cortar el césped; o el afilador, con su extraña bicicleta a la que las amas de casa y los carniceros de las tiendas acercaban sus cuchillos para dejarlos en condiciones óptimas hasta la siguiente ocasión.

47

Los Papeles
del Abuelo

Recordaba los dos altísimos cipreses, inexistentes ya, partidos por el viento en distintas ocasiones y, al mirar el jardín donde habían estado durante tantos años, siempre le sorprendía su ausencia.

Dieron un pequeño paseo y se encontraron con antiguos compañeros del colegio y del instituto de Marta. Algunos se habían quedado a vivir en el barrio; otros estaban de visita, en casa de los abuelos, como ellas. La mayoría tenía hijos mucho más pequeños que Sara que jugaban en los parques.

A Marta le dolía verles envejecidos. Los de su año tenían ahora cuarenta y uno, como ella, alguno quizá cuarenta y dos –los que repitieron curso–. Era cierto que la cara se descolgaba en los rostros de ellas, el pelo se caía en las cabezas de ellos y la mayoría estaban más gruesos. Deterioro y deformidad, pobrecillos. ¿Pobrecillos ellos? ¡Pobrecillos todos! *Hacemos ver que no ocurre nada* –pensaba Marta, mientras seguían caminando–, *nos reímos de nuestros kilos de más, disimulamos nuestras penas, mientras a escondidas andamos comprobando cómo vamos, por lo menos, de fuerzas. Tenemos un principio de lucidez de la tragedia que se avecina sobre los treinta años, pero es ahora, a los cuarenta, cuando no podemos engañarnos. Los que son muy inteligentes sufren más todavía, porque se dan cuenta mucho antes...*

Se acercaron a la floristería. Llevarían dos ciclámenes para la casa, uno rosado y otro rojizo. Las plantas eran vida. El abuelo los cuidaría. Y pasarían por la pastelería: *tortel* de nata o lionesas, lo que hubiera.

– Sara, yo jugaba aquí con tus tías. El abuelo nos enseñó a montar en bicicleta una tarde y tu tía Eva se estrelló contra una señal de prohibido aparcar: ¡se partió la bici y se cayó la señal!

– ¿Y no se hizo nada la tía Eva?
– ¡No, qué va! Figúrate cómo sería su currículum que la
    llamábamos *la mariachichones*… Lanzada y temeraria
    como ella sola –Marta sonreía al recordar–. ¡Bien! Ya
    hemos llegado. Anda, llama al timbre que tengo las ma-
    nos un poco ocupadas…

Los abuelos María y Jaume, los únicos que tenía Sara, se
alegraban mucho, como casi todos los abuelos, de las visitas de sus
hijos y nietos. La expresión de la cara, la intensidad de los abrazos
y la fuerza y el número de los besos lo decían todo, para que nadie
quedara con dudas al respecto.

Marta se fijó en que, desde que las hijas habían salido del hogar, las paredes habían ido siendo ocupadas poco a poco por estanterías de una biblioteca que parecía que nunca acababa de crecer.

– ¡Pero, papá! ¿Has puesto más estantes?
– Es que no me cabían los libros… Mira, mira éste. Lo encon-
    tró tu hermana Raquel en la biblioteca de la iglesia bautista
    –el padre lo sujetaba delicadamente con una mano, mien-
    tras con la manga de la camisa del otro brazo le quitaba
    unas motas de polvo inexistentes sobre la tapa. Se lo tendió
    a su hija.

Marta lo tomó con las dos manos. La tapa quizá algún día
había sido de color verde claro. Las hojas eran viejas, de ese color
marrón que indica que hay que ir con cuidado, que se pueden
quebrar. El título: *El Niño del Botón*. Instintivamente, Marta lo
abrió, como en un ritual, y lo olió, cerrando los ojos un instante.
Su padre le había enseñado a oler los libros. No sólo a descubrir
el significado de sus palabras mágicas, sino también a acariciarlos,

a contemplarlos en las librerías, de igual manera que delante de los escaparates de las pastelerías otros ven los dulces y se les hace la boca agua. Con la voz tomada por la emoción, Marta consiguió articular:

– Oh, papá! ¡Por fin! ¡Lo conseguiste!

El padre tenía lágrimas en los ojos. Fue uno de los libros más importantes para él, que le hizo tomar decisiones y compromisos para toda una vida. Y, misteriosamente, había desaparecido de su biblioteca.

– Sí…
– ¡Cuánto me alegro! –Marta le abrazó. Sabía lo que significaba para él.

Continuaron durante un rato viendo y comentando los nuevos libros mientras Sara acompañaba a la abuela en la cocina.

La paella que preparaba la abuela sabía mejor que cualquier otra, según la opinión de todos los presentes, y el tiempo de la comida transcurrió agradablemente. Los abuelos se interesaron mucho por las impresiones de Sara sobre la Universidad. Y fue en ese punto cuando ella les habló del extraño documento que habían encontrado entre los papeles del abuelo Laureano.

– ¿No os parece muy interesante? –concluyó Sara, con la expresión radiante.
– ¿Cómo es que tenéis vosotras esos papeles? –preguntó el abuelo, que a veces olvidaba sus brillantes iniciativas de poner orden y limpieza.
– Bueno –saltó la abuela enseguida–, menos mal que alguien consideró que no debían tirarse…

– Lo interesante sería saber –intervino Marta rápidamente– algunas cuestiones, como por ejemplo, si el abuelo sabía árabe.

María, hija de Laureano, hacía esfuerzos por recordar.

– A ver... el abuelo era maestro y había estudiado en Madrid. Sí que sabía griego, porque lo enseñaba a los chicos mayores del instituto. Incluso a veces estudiaba el Nuevo Testamento consultando las palabras en el original. Pero árabe... No sabría decirte.
– A mí se me ocurre –terció el abuelo Jaume– que si conocía algo de esa lengua podía ser de cuando cumplió el servicio militar en Melilla. Tres años estuvo, ¿no, María?
– ¡Qué barbaridad! –dijo Marta.
– Y, caso de ser él el autor del escrito, ¿a quién podría estar dirigido, que supiera árabe, o griego, o alguna lengua o código así raro para que lo entendiera? Porque está encriptado, o sea, camuflado –dijo Sara, pensando si sus abuelos entenderían lo que quería decir.

La abuela pensaba, pero su cara de extrañeza era todo un poema. Iba negando con la cabeza. Al final dijo, sin mucho convencimiento:

– Mi tío Francisco, el hermano pequeño de mi padre, estudiaba. También estudiaba griego, porque yo les recuerdo con los ejercicios de traducción. Siempre se comentó en la familia que el muchacho se estaba maleando. Se fue de casa por sus desavenencias con mi padre, y luego se alistó como voluntario en el ejército... y nunca supimos nada más de él. Era muy joven cuando estalló la guerra. Como se llevaban muchos años y se ve que era un muchacho muy despierto, mi padre le proponía adivinanzas, acertijos matemáticos, problemas... y se entendían bien. Al faltar la madre se ve que empezó a torcerse.

Todos guardaron silencio durante un momento. Finalmente habló el abuelo:

> – A lo mejor encontráis algún dato más en las cartas que sí que se entienden.
> – ¿Tú sabes cuántas hay? –dijo Sara.
> – ¡Ah, chiquilla! Una investigación siempre requiere algo de esfuerzo. ¿O no? –replicó Jaume.

Esta parte del trabajo era la que en las novelas se leía en una o dos líneas... pero en la vida real podía significar horas y horas de lectura. Aquello empezaba a perder algo de su encanto.

> – Si no hay más remedio... –dijo Sara– ¡le diré a mamá que lea los papeles, que yo tengo que estudiar!
> – ¡Si serás fresca! –dijo Marta riendo.

Sara salió aquella tarde con sus amigos y Marta regresó a su casa. Preparó la cena y la comida del día siguiente, pues llegaba demasiado tarde como para no tener algo medio listo si no quería acabar comiendo cosas terriblemente aburridas... o a la hora de la merienda.

Cuando terminó, fue a poner un poco de orden por la casa. Barrer aquí, poner una lavadora, recoger la ropa tendida y doblarla... Había cuatro o cinco libros de un par de bibliotecas en los puntos habituales de lectura: dos en la mesita de noche, uno en la de al lado del sofá, uno en la cocina y uno en el baño. Ella

no podía comprarse los libros, por dinero y por espacio. Así que benditas bibliotecas públicas y su servicio de préstamo. Aunque su lectura era un poco aleatoria, había un criterio que determinaba en parte su elección: el peso del libro. Si era para ir y venir en el autobús o que hubiera que cargar con él encima, un libro pequeño, transportable con comodidad. Para estar en casa podía tener el tamaño que quisiera, salvo el de leer en la cama que, si era demasiado voluminoso, tampoco era práctico del todo. Sin embargo, todo lo anterior podía carecer de importancia si, al acercarse al final del libro, la trama estaba tan interesante que, por saber cómo terminaba, se lo llevaba a donde fuera necesario.

Con la llegada de noviembre el frío se instaló en el piso. El sol de la tarde, que entraba a raudales por la cristalera del comedor, no era suficiente para caldear el ambiente durante toda la noche. Marta y Sara, aun sabiendo que quedaba antiguo e iba en contra de cualquier noción de estética, antes que encender la calefacción del piso (lo cual les parecía no sólo prematuro sino antiecológico) se ponían sus largas batas de invierno de colores chillones y aguantaban algunas semanas más, con el ahorro que ello suponía para la economía familiar. Si alguna vez recibían visitas en esta época del año, se disfrazaban con chaquetas de lana, sudaderas o jerséis gruesos. Pero en cuanto éstas se iban y cerraban la puerta… se quitaban el camuflaje y se ponían sus queridas y cálidas batas.

El martes, cuando Marta estaba en el autobús de regreso a casa, recibió una llamada de su hija al móvil:

– Sí, hola –dijo Marta.
– Mamá, que hoy no voy a comer. Que tengo reunión con el
   equipo de investigación.

– ¿Qué equipo de investigación?
– ¡Mamá! Pues Guillem, Marc y yo. Y Silvia también –aflojó
la voz–. Para lo del texto.
– ¿Qué dices?
– ¡Nada! Para lo que tú ya sabes.
– Bien, de acuerdo. Come algo. Y no llegues muy tarde.
– Sí, mamá. Hasta luego.
– Un beso. Adiós.

El equipo de investigación. Más valía que el texto, después de
todo, fuera algo constructivo, que si no… Si ponían tanto empeño,
seguro que lo descifrarían, porque no tenía sentido que fuera un
enigma enrevesado. Esto pensaba Marta mientras llegaba a casa.
Al bajar del autobús, entró en la panadería, compró el pan y cogió
uno de los diarios gratuitos que, milagrosamente, todavía quedaban a esa hora. Al doblar la esquina y tomar la rambla de su casa,
un intenso olor a mar la descolocó. A veces ocurría, aun estando
a más de dos kilómetros del agua, que el viento traía el olor a mar
como si se estuviera en la misma orilla. ¡Marta se sorprendía tantas veces de oler la naturaleza en medio de la ciudad! Siempre la
pillaba por sorpresa.

Cuando llegó Sara por la tarde, entró como quien ha madu-
rado un pensamiento y ha tomado una decisión.

– Mamá –dijo entrando en la cocina–. Hola, mamá. Mamá…
– Un beso… –Marta puso la mejilla, riendo para sí. Dejó la
taza de té con leche sobre la mesa.
– ¡Mamá, déjame hablar!

Marta la miró. Venía contenta. A ver qué peregrina idea se
le habría ocurrido ahora al *equipo de investigación.*

– ¡Venga, hija, que me tienes en ascuas!

– No te burles, mamá…

– Que no… Venga, cómo van las averiguaciones.

– Pues verás. Después de darle unas cuantas vueltas al tema hemos llegado a la conclusión de que quizá se han usado caracteres árabes que sustituyen a otros signos que sí serían inteligibles. Incluso podrían corresponderse con letras en español. Lo que ocurre es que, como ninguno de los tres estamos familiarizados con esos signos, vamos a sacar de Internet e imprimirnos esta noche el alfabeto árabe, y vamos a ponernos a estudiarlo.

– Es una buena idea lo de pensar que se corresponde con otros signos. Pero, no estarás desatendiendo los deberes, ¿verdad?

– ¿Deberes? Mamá, que voy a la Universidad…

– Pues eso. ¿Es que no hay que estudiar más que antes?

– Está todo controlado.

Y, diciendo esto, se levantó y se fue a su cuarto. Allí estuvo el resto de la tarde, escuchando música y, se suponía, familiarizándose con el nuevo alfabeto.

Aquella noche de martes comenzó a llover y no paró de hacerlo hasta el viernes por la mañana. Las personas criadas en clima mediterráneo llevan muy mal el tema de la lluvia y no sólo Marta estaba decaída, sino que muchas de las compañeras empezaban a clamar en voz alta por poder ver el sol. Casi a la hora de salir de la oficina, cuando unos pobres rayos de luz consiguieron atravesar las nubes e iluminar tímidamente la fachada de enfrente, María José se acercó a Marta:

– Oye, no sé si te acuerdas de que mañana es la conferencia de Enrique Alonso, el que te puede ayudar con lo del texto.

– Sí me acuerdo. Pero es que yo no quiero entrar en una iglesia.

– A ver, que no va a ser una ceremonia religiosa, que será una conferencia.

– Ya. Pero no voy a ir.

– Espera, espera –María José pensó un momento buscando una solución sencilla–. Hagamos una cosa. ¿Y si vienes a la salida, cuando se acabe la charla, y te lo presento?

– Pero, ¿no me dijiste que no le conocías?

– Y no le conozco, pero suele darse un ambiente fraternal en estos eventos que facilitará el encuentro. Confía en mí.

Marta la miró a los ojos valorando la confianza que en una cuestión como ésta le merecía su compañera. Seguro que sabía perfectamente de lo que hablaba.

– Bueno, dame la dirección exacta de la iglesia. Y dime a qué hora calculas que debería ir.

– Mujer, a las siete, al inicio –María José sonrió–. Pero si quieres llegar al final, ven a las ocho y media, pues creo que habrá tiempo para preguntas.

– En principio estaré fuera, en la otra acera. Pero si no me ves, es que me lo he pensado mejor, ¿de acuerdo?

– De acuerdo, de acuerdo. Con libertad. Pero ya verás que es un tipo encantador… según dicen.

– Vale, pues mejor. Y gracias.

Durante todo el sábado Marta pensó que tampoco estaría mal asistir a la conferencia. Educar en valores en casa. Sin embargo, como muchas de las madres y los padres de su generación, sentía una especie de temor a escuchar que había hecho algo mal al educar a su hija. No es que pensara que nadie tenía la verdad absoluta sobre el tema, ni que Sara diera muestras de ir por mal camino. El sentido común le decía, y todo el mundo lo sabía aunque no hiciera caso, que hay cosas que funcionan en la educación de los niños y cosas que no, que básicamente son un par o tres de ideas claras, el cariño y la firmeza. Por eso a lo largo de toda la historia los padres y las madres han sabido educar a sus hijos. Aunque, paradójicamente, los padres más preocupados por la educación de sus hijos eran los que se sentían más culpables.

Pero como ya había dicho que no iría a la charla, finalmente no fue. Se sorprendió a sí misma escogiendo con cuidado la ropa que iba a ponerse y peinándose con esmero. ¡Pero si ni siquiera había preguntado qué aspecto tenía ese tal Enrique Alonso! Claro que, si era escritor, igual tenía página *web* y todo... Pero ya era tarde y no podía entretenerse.

Cuando estuvo lista se puso la cazadora, cogió el bolso y se fue. Llegó a la puerta de la iglesia un cuarto de hora antes de la media. No había nadie fuera, así que se asomó al interior para escuchar. La voz del conferenciante se oía perfectamente gracias al micrófono, no así las preguntas que le estaban formulando desde el público en ese momento. Le gustó la voz, era oscura, cálida, pausada, y contestaba sin dogmatizar, poniendo humor y realismo en sus respuestas. Cuando oyó que despedían el acto, salió del local y se situó enfrente, en la otra acera, tal como había quedado con María José.

Comenzó a salir gente y en ese momento se fijó en que había unos carteles anunciando la conferencia con una foto de Enrique Alonso. Como era de noche y estaba lejos no pudo apreciar casi nada: era un tipo grande, parecía que algo canoso... y ya no pudo observar nada más porque su compañera la llamó mientras se le acercaba, y la invitó a pasar.

–Ya he hablado con él antes de la conferencia. Te quejarás de
las amigas que tienes. Como para que no hubieras venido.

– ¿Y qué te ha dicho?

– Espera. Te presento a mi marido. Es Eduardo.

– Mucho gusto.

– Lo mismo digo. Es un placer conocerte por fin, ya que María José me ha hablado muchas veces de ti… y siempre bien
–dijo el hombre con una sonrisa.

– Gracias.

– Bueno, os dejo que me parece que tenéis una cita, ¿no?

– Sí, eso parece –respondió Marta, encogiéndose de hombros.

Enrique Alonso estaba atendiendo a algunos de los asistentes a la charla. Ellas se fueron acercando al lugar.

– Oye –preguntó Marta–. Entonces, ¿qué te ha dicho cuando
le has comentado el tema?

– Me parece que ha quedado encantado, en serio. Le ha sor-
prendido, pero le ha picado la curiosidad. Ya lo verás.

– Mejor así.

Se detuvieron a unos tres metros del entarimado. Marta
ahora le veía bien. Era un hombre alto, grande, un poco obeso,
de gestos amables. Rondaría los cincuenta años, quizá menos, y
usaba gafas de miopía. Vestía traje y corbata, como la mayoría de
predicadores que Marta recordaba de su infancia y su juventud.
Se sonrió. En ese momento Enrique Alonso despidió a la última
persona y se acercó a ellas.

María José y Marta dieron unos pasos y se presentaron:

– Don Enrique, ésta es la amiga de la que le he hablado antes.
Se llama Marta.

– Es un verdadero placer –le dijo mientras le estrechaba la mano–. Tengo entendido que tiene usted algo realmente interesante.

– Oh, bien, no lo sé todavía. El caso es que incomprensiblemente es un texto escrito con caracteres árabes, bastante extenso, pero que no significa nada en esa lengua. Así que es posible que los signos se correspondan con otra cosa, que realmente esté encriptado por alguna razón de suficiente peso, pero que a mí se me escapa.

Marta le miraba a los ojos. La manera de hablar, de usted, la despistaba.

– ¿Ha traído usted el texto?

– Sí. Bueno, una copia.

– Bien hecho, nunca pasee los originales. De todos modos… –Enrique Alonso consultó el reloj en su muñeca– me temo que en este momento no dispongo del tiempo suficiente para prestar la debida atención a un asunto de esta envergadura. ¿Le parece a usted, Marta, que nos encontremos en otro momento y estudiemos el tema con más calma? Le aseguro que lamento que no pueda ser ahora.

A Marta le pareció que se había puesto colorado. Sí, don Enrique se había puesto colorado al sugerirle que se vieran en otra ocasión.

– ¿Qué me dice? –insistió Enrique Alonso.

María José ya iba a darle un ligero codazo al ver que su amiga no respondía.

– Eh… Bien, me parece bien. ¿Cuándo podría usted?

– Yo salgo hacia Madrid el miércoles por la mañana… y tengo libre el lunes por la tarde y el martes por la mañana.

– Yo tengo libre el lunes por la tarde…

– Muy bien. ¿Qué le parece en una cafetería? ¿Cuál sugiere usted?

– ¿Yo? Déjeme pensar… ¿Dónde se aloja?

– Cerca de la Sagrada Familia.

– Sí, bien –Marta intentaba dar con un sitio en el que ella se sintiera cómoda; un lugar grande, lleno de gente, para que lo que hablaran no se escuchara con facilidad–. Hay una cafetería, en el chaflán…

Marta volvió a su casa en autobús. Bajó unas paradas antes de llegar al barrio, pues le apetecía caminar. Era gracioso, le parecía sentirse impresionada por ese tal Enrique Alonso. ¡Pero si no le conocía de nada y sólo le había visto durante cinco minutos! Y sin mencionar que era lo menos parecido a lo que ella sabía que era su hombre ideal, el de sus sueños, el que en ocasiones le había parecido vislumbrar en alguno de sus libros. Llevaba ya unas cuantas semanas con la guardia medio bajada, y eso era lo que ocurría, que reaccionaba como una colegiala. Pero no había duda de que aquel hombre era un tanto particular, con tantos estudios, con tanto bagaje a sus espaldas. Parecía sacado de otra época, con esa forma de hablar tan ceremoniosa, con ese vocabulario que le recordaba el castellano de sus padres y sus abuelos; con su traje clásico y su corbata impecable. ¡Y se había puesto colorado! ¿Pero a qué hombre de su edad, con su preparación, le ocurría eso? Marta no pudo evitar una sonrisa. Y tenía una cita con él. A solas. El lunes. Intensificó su sonrisa al pensar que sería como entrar en una película antigua, con las fórmulas de tratamiento de otra época. Sería cuestión de cambiar un poco la luz de la cafetería en

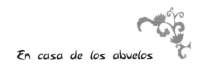

la que habían quedado y el color, yendo a los pardos y marrones. Ella debería cubrirse con una gabardina y don Enrique presentarse con sombrero… y ya estaría completado el prodigio.

Llegó al portal de su casa. Iba tan distraída que no preparó las llaves con anticipación. Al entrar se encontró con aquellos incomprensibles ocho escalones antes de llegar al ascensor. Ocho escalones estrechos, casi imposibles para las personas mayores, o para personas cargadas con el carro de la compra, o madres con esos enormes cochecitos de bebé modernos. Y esa arquitectura difícil era así en la mitad del barrio. Ascensor, sí, pero después de una dura prueba. ¡Cuántas veces había tenido que ayudar a sus vecinas, muchas de ellas viudas, a cargar la compra hasta el ascensor, pues ya les faltaba el aire con tan sólo subir ese tramo!

Cuando entró en su casa, la realidad, la que no estaba compuesta por cavilaciones y ensueños, en apenas unos instantes le cayó encima. Estaba sola y Sara aún tardaría un buen rato en llegar, pues solía hacerlo entre las diez y las once, porque venía acompañada. Por un momento pensó en la conferencia a la que no había asistido. Ella había criado a su hija en un barrio en el cual faltaba gran parte de una generación que había muerto a consecuencia de los efectos de las drogas: sobredosis, SIDA, hepatitis, y cárcel. En su propia escalera había abuelos criando nietos porque los padres faltaban.

Colgó la cazadora, dejó el bolso y encendió la radio a esa hora terrible de los sábados en la que la mayoría de emisoras daban fútbol. O música. Pero música de una época que no era la suya. Mientras se preparaba una ensalada y una tortilla francesa para cenar pensaba en eso, en que quizá ya no era su época, o no lo era como para comenzar de nuevo, pues el tren que había tomado sin saberlo, tiempo atrás, conducía hasta ahí, hasta ese momento, por una vía única, y no había tenido oportunidad de cambiar el rumbo. O sí, no estaba segura. Pero en todo caso, el pasado no se podía cambiar, y muchos de los sueños de los que no fue consciente cuando era joven, que no llegó a formular con palabras pero que anidaban en su corazón desde entonces, sabía que no los viviría jamás. ¡Cuántas decisiones aparentemente insignificantes tomadas con inconsciencia se convertían en punto de inflexión para toda una vida!

Aquella noche, acostada en la cama, acurrucada y más arropada de lo necesario, pensó que sus libros, llenos de palabras tan mágicas como para crear mundos vivos, lugares poblados por personajes tan reales como los propios vecinos, situaciones tan asombrosas que conmovían el espíritu, no habían podido traerle consuelo. Quizá sí palabras de ánimo para afrontar las dificultades con resignación, como millones de otros seres humanos; sí palabras de aliento para la aceptación estoica de lo inevitable; también le habían distraído y entretenido, o sedado, en ocasiones, como una droga; o le habían permitido colarse en esas vidas que ella jamás viviría. Pero no habían mitigado ese dolor sordo que anidaba en su corazón desde que empezó a vislumbrar lo dura que podía ser la andadura por la vida. Palabras. Palabras vacías, nada más.

IV

El caballero

– ¡Anda, mamá! ¡Pero si tienes una cita! –Sara casi aplaudía
de alegría–. Tú ponte bien guapa, ¿eh?
– Pero no digas tonterías, hija. Esto no es una cita. Es como…
una reunión de trabajo, como las que tú tienes con tu equipo de investigación.
– Vale, pero tú ponte atractiva.
– Oye, niña, que yo siempre voy atractiva y elegante…
–protestó Marta.
– Es verdad, no te enfades. Tú ya me entiendes.

Era la noche del domingo y, disciplinadas, preparaban las
cosas para la mañana siguiente, cuando el sueño en la madrugada
no les permitía pensar con claridad. Combinar adecuadamente
la ropa a esa hora de la noche podía ser cosa de dos minutos,
mientras que temprano al día siguiente podía suponer diez, para
acabar de todos modos con un pobre resultado. Así que, tanto la
madre como la hija, seleccionaban con anticipación el vestuario y
preparaban los libros o apuntes de clase, para no tener que pensar
mientras su cerebro, no tan mañanero como su cuerpo, se negaba
a ocuparse de asuntos tan triviales.

Una de las preocupaciones de Marta desde que nació Sara
fue esta misma, la de prepararle la ropa para el día siguiente lo
más ajustada a la meteorología real, de manera que no pasara frío

en la guardería ni en la escuela, ni se achicharrara de calor. Fue así como se interesó por el pronóstico del tiempo diariamente y, poco a poco, fue dándose cuenta de en qué canal de televisión hacían la previsión que más se correspondía con la realidad local. Así también conoció a casi todos los hombres y mujeres del tiempo del país y realizó una de aquellas estadísticas particulares a las que Marta era tan aficionada, respecto al porcentaje de aciertos.

– Mamá, ¿me dejas ver qué ropa has escogido para mañana? –dijo Sara asomando por la puerta del cuarto de su madre.
– ¿Cómo dices?
– Sí, para la cita...
– ¡Pero bueno! ¿Qué te ha dado?
– ¡Mamá! ¿Vaqueros? –exclamó la chica casi escandalizada– ¿Vas a ponerte vaqueros? ¡Pensará que no te lo tomas en serio!
– ¿Acaso llevas tú otra cosa que no sean vaqueros?
– ¡Pero tú tienes una edad, mamá, y otros pantalones más elegantes!
– Gracias por lo de la edad.
– Quiero decir...
– Sé lo que quieres decir –Marta sonreía, porque no imaginaba que su hija tuviera tanto interés en verla contenta– y, de momento, no te preocupes, que ésta es la ropa para ir al trabajo. Vendré a comer, y me dará tiempo de pensar de sobra qué me pongo para la gran ocasión. ¿Se te ocurre algún perfume en concreto?
– Pues...
– ¡Que es broma, Sara! Relájate, que acabarás poniéndome nerviosa a mí. Lo que no debo olvidarme mañana son las fotocopias del texto, que entonces sí que quedaría fatal.
– ¿Dónde habéis quedado? –Sara se había sentado a los pies de la cama de su madre.

– En el *Què bo* que hay cerca de la Sagrada Familia, en la calle del hospital donde naciste.
– Mmm… No está mal.

Marta dio un empujón a su hija en el hombro, haciéndola caer sobre la cama. Sara comenzó a reír.

– Menos risas y lárgate ya a tu habitación, que es tarde y me estás hartando un poco con tanta supervisión.
– Vale, de acuerdo, mamá. Encima que me preocupo por ti… –dijo Sara incorporándose.
– Anda, buenas noches, y que descanses.
– Buenas noches, mamá; que descanses tú también.

Se dieron un beso y cada una se recogió en su cuarto.

Marta se dispuso a leer, pero descansó la mirada en una hermosa lámina que tenía colgada en la pared. *El beso*, se titulaba. Hacía meses que no le prestaba atención. En un ambiente oriental, un hombre y una mujer se abrazaban estrechamente, arrodillados sobre un lecho de flores y protegidos por un manto, mientras el hombre besaba a la mujer en la mejilla. La vistosidad de los tejidos, el colorido y el contraste de los elementos, la fuerza combinada con el desmayo del trazo, conferían al cuadro una atmósfera sensual. Sabía cómo se sentían aquellos dos amantes. Pasión y abandono; espera y satisfacción; compañía e intimidad. Vio la lámina hacía ya muchos años en una galería de arte del Passeig de Gràcia, esa gran avenida señorial cerca de su trabajo, y quedó fascinada. Porque ya en aquel primer momento sabía lo que recorría el corazón y la piel de aquella mujer que se sentía querida y deseada.

Fue consciente de que debía, como tantas veces, detener sus pensamientos para no sentir el dolor ardiente que producía el hambre en su propia piel, la sed en su alma. Ese tormento voraz Marta lo percibía de color rojo oscuro y lo sentía avanzar físicamente, espeso y lento, dentro de sí.

El color de las cosas. El color de un cuadro, el color de un sentimiento, el color de un ambiente, de una época. El color de las letras y los números. Amarilla la *a*, roja la *e*, azul la ele, marrón la zeta; negro el uno, verde el siete, el nueve anaranjado. También tenían colores en su cabeza las palabras como un todo. ¿Estaría relacionado con la primera impresión de cuando aprendió a leer, que quizá se usaron tizas de esos colores en la pizarra? ¿Alguien más asignaba distintas tonalidades a lo que experimentaba? Seguro que sí, *no hay nada nuevo bajo el sol*, como decía la cita bíblica. Y si lo había, no iba a ser ella lo nuevo, lo especial, qué presunción. Una vez lo había creído así, y en realidad se repitió una vieja, viejísima historia de cobardía, egoísmo, abandono y decepción.

Colores. Su hija Sara era del color del trigo maduro, con sus ojos como la miel y su piel clara, creciendo fuerte y sana en la llanura, bañada por el sol y mecida por el viento.

Evidentemente necesitaba dormir… y dos pastillas de valeriana. Así que se levantó, fue al baño, revolvió entre las medicinas y se tomó las píldoras con un sorbo de agua. Sara aún no dormía, vio la luz encendida por debajo de la puerta de su habitación. Se puso la bata y salió al balcón. Hacía fresco, pero no frío, y un viento suave subía por la rambla. Se asomó a la barandilla y respiró hondo. Olía a noche de otoño en la ciudad. Cerró los ojos mientras prestaba su rostro a la caricia de la brisa. Más allá de las ramas despojadas de los árboles, en los bloques de enfrente, algunos televisores encendidos quizá indicaban la presencia de otros insomnes.

La mañana del lunes en el trabajo transcurrió lenta, con reunión de jefes de negociado incluida. María José se le acercó después del desayuno:

– ¿Estás preparada para esta tarde?
– ¿Cómo que si estoy preparada? Pues claro.
– Tú no sabes bien del todo con quién tienes una cita, me parece.
– ¡Ya estamos! ¡Que no es una cita, por favor! –protestó seriamente Marta.
– De acuerdo, entendido. Pero tienes que saber que este hombre es una verdadera eminencia. Ha estado durante años dando clases en universidades extranjeras y tiene publicados diversos libros de sus distintas especialidades. Que no es un don nadie, vaya. Y ha quedado contigo.
– Que ya lo pillo, que es un honor –dijo Marta entre divertida e impresionada.

Una compañera que estaba en la mesa de al lado intervino:

– Perdonad que interrumpa; pero creo que la ocasión que describís (es que no he podido evitar oíros) merece la utilización del famoso *kit de examen de la Montse*.
– Tú tranquila –dijo Marta; la que hablaba era Elisa, una compañera cumplidora y atenta con todos, que siempre tenía una sonrisa preparada para ser regalada–. Todo el mundo puede opinar, parece ser. Incluso mi hija ha decidido constituirse en mi asesora de imagen para esta tarde.
– ¿Qué es eso del *kit de examen*? –preguntó intrigada María José.
– Es un invento de Montse –contestó Elisa–, aquella compañera que preparaba las pruebas para profesora de no sé qué. Ella decía que había que estudiar todo lo que se pudiera,

hacer los resúmenes y los esquemas para que todo quedara bien grabado en la memoria. Pero que el día de los exámenes orales había que usar su famoso *kit*, que tenía demostrada su eficacia en muchas ocasiones difíciles.

– ¿Y en qué consiste? –preguntó Marta, que ya se lo veía venir.

– Pues, primero, en dejarse la melena suelta, pero bien peinada. Segundo, en maquillarse delicadamente, pero lo suficiente como para que se vea que se quiere gustar. Lo tercero, llevar una blusa que permita desabrochar un botón de manera sugerente. Y cuarto, y según la edad o las varices, usar minifalda.

Marta y María José estallaron a reír a la vez. Elisa las acompañó agregando al final:

– Y, ¡ojo!, que lo decía en serio, ¿eh? –recalcó con el dedo en un gesto imperativo.

– ¡Lo bueno es que aprobó! –sentenció María José, riéndose todavía.

– Estáis todas locas, pero bien locas… –dijo Marta, y se fue hacia su mesa, sentándose y simulando que se concentraba en el trabajo.

Al final habían conseguido ponerla nerviosa. ¡Por favor! ¿Cuánto hacía que no quedaba con un hombre? Seis o siete años. ¿Y con un erudito? Cuarenta y uno.

Bueno, ella también era universitaria, licenciada nada más, pero menos daba una piedra, como decía su madre. Y había entrado en la Administración haciendo oposiciones, sin enchufe de nadie, y luego había seguido estudiando y subido de categoría. No era mucho, pero necesitaba apuntalar su confianza en algo en ese momento. Y tenía una hija estupenda. Se portaba bien con sus

padres, y con sus hermanas, y con sus vecinos. Y procuraba ser una buena jefa. Y mejor se ponía a trabajar, que últimamente andaba despistándose en cuanto se descuidaba.

En el autobús de regreso a casa no pudo leer, no podía concentrarse. Una vez hablara con Enrique Alonso esa tarde sería cuestión de esperar alguna noticia en cuanto al resultado de sus averiguaciones y ya estaba. Se habría acabado. Así que, menos tontería junta, como también decía su madre, y a centrarse de nuevo y tomar las riendas de su mente.

Marta llegó a casa y preparando la comida se le cayó un cubierto al suelo, puso más aceite del que debía en la ensalada, tiró la yema y la clara del huevo a la basura y puso la cáscara en la sartén. Se consoló pensando que para ella el encuentro de la tarde era como un examen importante por culpa de los demás, que ella lo había llevado muy bien hasta que había visto qué expectativas se habían creado al respecto, especialmente su hija.

Prefirió salir antes de la hora para no dar tiempo a que Sara llegara y acabara con su frágil temple, y para poder terminar de serenarlo yendo al lugar del encuentro dando un paseo. Se puso unos pantalones vaqueros, una camisa de tonos verdes con un estampado discreto, tomó un delicado pañuelo para el cuello, y preparó una fina cazadora de piel marrón junto al bolso y un portafolios con las fotocopias del texto. Se cepilló el pelo y, al contemplarse en el espejo, se sonrió porque, aunque no tenía ni pies ni cabeza, y lo sabía, sentía en el estómago esas cosquillas de emoción de cuando intuía que podía ocurrir algo importante, como si fuera a abrir un correo electrónico que tuviera toda la pinta de ser el tan largamente esperado, el que permitiría el gran cambio.

La noche se cerró mientras Marta se dirigía al *Què bo*, a la par que la ciudad se iluminaba encendiéndose hasta el más escondido de sus rincones. Escogió para hacer el camino las avenidas y las calles con aceras más anchas y las zonas peatonales. Era fácil caminar por Barcelona. No era tan fácil tener un vehículo y aparcarlo.

Cuando ya se acercaba al barrio de la Sagrada Familia, Marta cayó en la cuenta de que no habían concretado si se esperarían fuera del local o dentro, sentado ya en una mesa el primero que llegase. Enrique Alonso tenía toda la pinta de ser una persona puntual, así que esperaba que no se produjera ningún malentendido de esos que dejan mal sabor de boca ya antes de empezar una entrevista.

Eran las siete menos tres minutos y Marta se disponía a cruzar la calle en cuanto el semáforo se pusiera verde. Allí estaba Enrique Alonso, de pie, a unos escasos tres metros de la puerta de la cafetería, con su traje y su corbata, impecable, con las manos juntas sobre su prominente abdomen, mirando a los viandantes que cruzaban desde la otra calle mientras tenían el semáforo abierto.

Marta estuvo tentada a dejar pasar todo un turno de la señal, para observar un momento más al hombre, pero finalmente, cuando el semáforo ya llevaba unos cuantos segundos en verde para ella, adelantó un pie a la calzada y comenzó a cruzar. Enrique Alonso la reconoció cuando se encontraba a unos cuatro o cinco metros todavía, así que caminó unos pasos, extendiendo la mano para estrechársela.

– Marta, es un placer volver a verla.
– Lo mismo digo –Marta decidió dejarse llevar, porque no conocía a nadie con un código parecido de formalidades.

– ¿Le parece que entremos ya? He estado mirando el local y me parece un lugar encantador.
– Sí, lo es. Estaremos bien. Entremos.

Enrique Alonso abrió la puerta del establecimiento y, por supuesto, cortésmente cedió el paso a Marta para que entrara primero.

– ¿Dónde le parece que nos sentemos, Marta? –preguntó mientras ponderaba la situación de las mesas que se encontraban desocupadas.
– Yo preferiría un lugar discreto, donde no pueda ser oído lo que hablemos…
– Sí, mucho mejor… ¿Le parece bien ahí? –dijo Enrique Alonso, señalando una mesa cuadrada de mármol claro, con dos sillas negras, que se encontraba tocando la cristalera protegida por una cortinilla, y que daba al chaflán.

Marta asintió. Se acercaron al lugar y ella se quitó la cazadora y la colgó en el respaldo de la silla. Dejó el bolso en la mesa, apoyado en la cortina que ocultaba el cristal. Enrique Alonso permaneció con su americana, su corbata y su azoramiento puestos. Porque, de hecho, otra vez se había sonrojado. Y caballerosamente, como era inevitable que sucediera, retiró cortésmente la silla para que Marta se sentara. Luego dio la vuelta a la mesa y se sentó a su vez.

– He de confesarle, Marta –dijo con una sonrisa– que tengo curiosidad por el caso que nos ocupa.
– Don Enrique –dijo Marta, siguiendo la fórmula que había oído emplear a su amiga María José–, sé que no va a tener ninguna trascendencia fuera del ámbito de mi propia familia, pero realmente no deja de ser sorprendente que haya un escrito en una lengua que, en principio, nadie conocía.

– ¿Me permite que la invite a tomar algo, antes de dedicarnos por entero al trabajo, Marta? Veo que se acerca el camarero.
– Sí, claro; gracias.

Efectivamente, un muchacho joven, espigado, se acercó a la mesa y dijo:

– Buenas tardes. ¿Qué va a ser?

Enrique Alonso hizo un gesto con la mano para que fuera Marta la primera en pedir.

– Un chocolate *deshecho*, por favor.
– Para mí otro. ¿Quiere algo más, Marta? ¿Quizá *melindros* para acompañar?
– Bien, de acuerdo.
– Pues dos raciones de *melindros* también.

Cuando el camarero se alejó, Marta comentó:

– Veo que usted ha estado otras veces por aquí y que ya conoce nuestros bizcochos para el chocolate.
– Sí, efectivamente –dijo Enrique Alonso sonriendo con una mirada pícara en sus ojos azul pálido detrás de los cristales de las gafas–. Y he de confesar que, como otras muchas especialidades de la gastronomía catalana, me encantan.

Bien se veía que la gastronomía catalana, y muy posiblemente la de muchos otros lugares, debían de encantarle al profesor, pensó Marta conteniendo a duras penas la sonrisa.

– Dígame, Marta –continuó Enrique Alonso–. ¿Dónde ha encontrado los papeles enigmáticos que vamos a estudiar? Situarnos en el contexto puede orientarnos mucho.

– Lo cierto es que estaban entre lo que eran, básicamente, escritos de mi abuelo materno; cartas y borradores de artículos que le publicaban en unas revistas protestantes de antes de la guerra.

– ¡Qué interesante!

– ¿Conoce usted algo de aquella época?

Al profesor se le iluminó la cara.

– Permítame decirle que, como historiador, estoy trabajando especialmente en sacar a la luz todas las aportaciones que desde el campo protestante se han hecho en España y que por unas razones u otras han pasado desapercibidas porque prácticamente han permanecido en los círculos del campo evangélico. ¿Sabe usted, mi querida Marta, que a finales del siglo XIX, en lo que se conoce como el período de la Segunda Reforma Protestante, se abrieron muchas iglesias que indefectiblemente tenían al lado una escuela para niñas? ¡Este hecho suponía un avance muy significativo con respecto a su tiempo difícil de valorar! –el profesor tomó aire, miró a Marta a los ojos y se encogió de hombros, sonriendo tímidamente–. Discúlpeme, ya sé que no es nuestro tema…

– No tiene que disculparse, ya veo que le apasiona…

– Estamos trabajando con un grupo de alumnos de la Complutense para recopilar de manera sistemática toda la información que podamos desde el siglo XVI hasta nuestros días. No somos los primeros, y hay quien ya ha publicado al respecto. Queremos continuar, para que no se pierda –Enrique Alonso pareció reflexionar un momento antes de continuar–. Se me ocurre, Marta, si a usted le parece bien, que quizá entre las cosas de su familia podamos encontrar algo que nos ayude a perfilar el panorama de aquellos años…

– No sabría decirle –respondió ella.

En ese momento se acercó el camarero con una bandeja con los chocolates y los *melindros* dejándolos en la mesa parsimoniosamente, como si no tuviera otra cosa que hacer en horas.

– Perdone –se excusó de nuevo Enrique Alonso en cuanto el camarero se alejó–. Soy un enamorado de mi trabajo. Volvamos a su escrito… pero antes, ¿le parece que probemos este chocolate, que debe de estar delicioso a juzgar por cómo huele?

Marta y Enrique se dedicaron unos momentos a la tarea exclusiva de bañar los *melindros* en el chocolate y saborearlos. Fue Marta la que rompió a hablar:

– Mi hija Sara está convencida de que el enigma que encierran estos papeles que traigo va a requerir que la Iglesia se reúna en Concilio para decidir si se hace público su contenido o no.
– ¡Vaya! Tiene usted una hija. ¿Cuántos años tiene?
– Acaba de hacer dieciocho. Ha comenzado este año la Universidad.
– ¡Es usted una madre joven para una hija de dieciocho! ¡Enhorabuena! ¿Y qué estudia su hija?
– Magisterio infantil.
– Es una bonita profesión, desde luego.
– Don Enrique, ¿tiene usted hijos?

La cara del profesor acabó de ensombrecerse, quizá porque desde hacía unos instantes temía la pregunta. Bajó la vista hasta su taza de chocolate. Luego se miró las manos. Levantó la cabeza y fijó los ojos un segundo en algo detrás de Marta. Finalmente la miró.

– Tuve un hijo. Un niño precioso. Murió a los tres años, junto con mi esposa, en accidente de coche, hace casi ocho años.

Marta se quedó muda. ¿Qué podía decir ante tamaña tragedia? Nada. No podía decir nada. Enrique Alonso volvió a mirar la mesa. Marta le observaba. Esperó.

– No se preocupe, Marta. No se preocupe, de veras. Mi Dios me ha dado el consuelo que necesitaba.

Marta siguió callada. Al ver que el profesor se disponía a terminar su chocolate, ella hizo lo mismo. Cuando acabaron, Enrique Alonso preguntó:

– Dígame, usted me explicó el sábado, sobre el texto, si no recuerdo mal, que estaba en alfabeto árabe pero que, sin embargo, no se correspondía lo escrito con palabras árabes conocidas. ¿Es así?
– Eso parece, según nos ha dicho una muchacha marroquí. Ella identificaba las letras, no así las palabras, aunque de todos modos nos indicó que no sigue la ortografía, pues sólo escogía una de las variantes de las letras: la aislada, creo. De todo lo cual, mi hija y su equipo de investigación han deducido que el texto está encriptado porque oculta algo verdaderamente trascendental: o una verdad que no debe ser conocida seguramente por la cristiandad, o las indicaciones para hallar un gran tesoro, en este caso, una herencia familiar.
– Deduzco que su hija es aficionada a las novelas de enigmas, tan abundantes últimamente.
– En realidad le gusta mucho leer, desde bien pequeña. Pero esta moda de misterios religiosos la atrapó; aunque afortunadamente ya van cambiando, en la propia literatura, a otro

tipo de entresijos, por fin. Supongo que el público se ha
cansado un poco.

– Sí, seguramente. ¿Qué idiomas conocía su abuelo? –centró
la cuestión el profesor.

– Que sepamos de cierto, griego. Por eso dudamos que el texto lo haya escrito él. Sin embargo se hallaba entre sus papeles, entre cuartillas que parecían idénticas y escritas con la
misma tinta. Al menos eso es lo que parece.

Enrique Alonso retiró las tazas y los platillos vacíos de los
melindros a un lado.

– Por curiosidad, Marta. ¿De dónde es su familia?

– De Castilla, de diversos lugares. De Valladolid. De Villarra-
miel, en Palencia. De Navares de Enmedio, en Segovia…
Bueno, de algunos pueblos que ya ni existen.

– ¿Y cómo es que vinieron a parar aquí?

– En nuestro caso, si no estoy mal informada, al fallecer mi
abuelo. Al parecer, durante la República se *significó* (así lo dice
mi madre) por su espíritu liberal y por ser evangélico. Durante
la contienda querían enviar a la familia a territorio republi-
cano, pero no pudo ser porque mi abuela cayó muy enferma.
Después de estar un tiempo en casa de una familia evangélica
también de Valladolid que les acogió, al acabar la guerra ya
se vinieron para acá, a casa de un hermano de mi madre que
vivía en Martorelles, un pequeño pueblo cerca de Mollet. Y
luego ya permanecieron aquí. Al principio, mi abuela con una
hermana, su padre y los niños, vivieron en el pueblo. Finalmente, casi todos acabaron en Barcelona. Yo ya nací aquí.

Enrique Alonso asentía. Dio un hondo suspiro, se relajó y
le dijo a Marta, sonriendo de nuevo con esos ojos pícaros que ella
ya le había visto antes:

– Bien, ¿piensa enseñarme esos papeles o no?

– ¡Por supuesto, por supuesto! Ahora mismo.

Marta se inclinó ligeramente hacia el bolso, lo cogió y, abriendo la cremallera con rapidez, sacó un portafolios que llevaba doblado por la mitad. Lo extendió y lo dejó sobre la mesa, ya de cara al profesor.

– Se me ocurre que esto que comenta del tipo de letra usado, uno solo, sin las variaciones, se deba a que simplemente se trate de una sustitución de signos; las letras del idioma original por algunas letras árabes… Veamos –dijo éste, extrayendo los papeles y colocándolos sobre el plástico protector–. Veamos.

Marta aguardaba. Observaba a Enrique Alonso ajustarse las gafas instintivamente y recorrer con rapidez las líneas de la primera copia. Después hojeó por encima las otras hojas.

– Marta, ¿su abuelo tenía estudios universitarios?

– Supongo que estudió en la Escuela Normal de Magisterio. Era profesor de instituto, de los institutos de aquella época, de los chicos más mayores.

– ¿Dónde podría haber aprendido a escribir en árabe? Estos caracteres son de un adulto que aún no domina el trazo y que, efectivamente, no usa las variantes…

– Hizo el servicio militar en Melilla.

En ese momento sonó un teléfono móvil. Era el de Enrique Alonso. Dejó los papeles sobre la mesa, articuló un *perdone un momento* y atendió la llamada.

El *hola, mamá, cuándo ha sido, cómo está y salgo para allá inmediatamente*, unido a la cara de preocupación que se le dibujó al profesor, hicieron comprender a Marta sin ninguna dificultad que algo grave había ocurrido y que la entrevista se había terminado.

Cuando Enrique Alonso colgó el teléfono se quedó mirando a Marta unos instantes.

– Mi padre ha sufrido un infarto agudo de miocardio y muy probablemente no lo superará. Voy a salir hacia Madrid ahora mismo, Marta.
– Claro, claro.

Enrique Alonso ya se levantaba. Mientras sacaba la cartera para pagar la consumición, decía:

– Créame si le digo que ha sido un verdadero placer conocerla. Dios mediante, espero tener una próxima ocasión para volver a verla y trabajar sobre su texto. Hasta pronto, Marta.

El profesor dejó un billete sobre la mesa, estrechó la mano de Marta, que también se había puesto en pie, y salió apresuradamente de la cafetería. Ella volvió a sentarse y distraídamente recogió las fotocopias y las introdujo en el portafolios. Lo dobló y lo metió en el bolso.

Sin darse cuenta estaba saliendo del establecimiento con la cazadora ya puesta. Los padres se hacían mayores y tarde o temprano nos dejaban. Quizá así, sin avisar. Peor era, sin embargo, cuando los que se iban eran los niños o los jóvenes. Se quedó de pie un momento, a la puerta de la cafetería, casi interrumpiendo el paso, mirando hacia el frente, a ninguna parte.

No veía las personas que caminaban por la acera ni los coches en el cruce. Alguien le dio un ligero empujón y comenzó a andar en dirección al metro. Calculaba que quizá se había hecho un poco tarde para no estar ya en casa atendiendo la cena. Pero de nuevo decidió caminar.

Marta sabía que había sido muy afortunada en el reparto de padres. Los suyos, imperfectos como todos, la habían amado y apoyado a través de las más diversas circunstancias de su vida, dando especialmente la medida de su cariño cuando se quedó embarazada en el último año de universidad.

Cuando pensaba en ellos, le venían a la mente imágenes de su padre y de su madre mucho más jóvenes de lo que ella era ahora, y no sólo por las fotografías. Les recordaba movimientos ágiles, fuerza y vigor, difíciles de apreciar en aquellos cuerpos que ahora se recogían sobre sí mismos y perdían el color. Su padre trajinando maderas, aserrando, martilleando, construyendo los muebles de toda una casa a medida que fueron necesarios: mesas, taburetes, estanterías, escaleras, cajones, armarios... ¡Y el columpio! En la casa de alguien de la familia que vivía en ese pueblo de las afueras de Barcelona y que tenía un enorme patio de tierra: con los laterales de madera en forma de A mayúscula, un travesaño superior y dos balancines. Su padre, joven y fuerte, que había aprobado en un mismo día todos los exámenes de conducir a los que se presentó.

Recordaba a su madre, jugando en la playa, riendo en el agua. Le habían contado que de joven montaba a caballo a pelo por los campos de Navares, donde había veraneado con unos parientes.

¡Quién lo diría! Y esto era la vida. ¿Esto era la vida? ¿Pasar sin apenas dejar huella... después de tanto esfuerzo? Para que alguien, al final, llamara diciendo de ti: *Ven corriendo, que esta vez no lo superará.*

Muchas de las tiendas habían ido cerrado a medida que Marta se acercaba al barrio. Sólo quedaban los bares, llenos de hombres mayores que no se decidían a subir a sus casas. Cada uno un ambiente –juegos de cartas o de dominó en unos, discusiones de fútbol o de política en otros–, pero a Marta se le antojaban todos igual de tristes. Raramente oía reír en ellos. Si en los otros bares, los de gente joven, sí que se oían carcajadas y se percibía alegría era, simplemente, porque ignoraban lo que se les avecinaba.

Cuando finalmente llegó a la esquina de la rambla y dobló para alcanzar su portería, Marta sintió en la cara la suave brisa que subía y pensó que sería bueno permitir que se llevara sus sombrías cavilaciones.

V

Cuéntamelo

Sara había preparado la cena: pasta con margarina y ensalada de lechuga, escarola y pollo. Puso la mesa y se levantó como un rayo en cuanto oyó que su madre abría la puerta.

– Ya estás aquí? ¿Cómo ha ido? ¡Pensé que igual os ibais a cenar por ahí!
– Hola, Sara –Marta sonrió–. ¿Cómo te ha ido el día?
– ¡A mí bien, mamá! ¿Qué tal tu cita?
– Anda, dame un beso.

Marta fue a dejar la cazadora en una percha y se calzó unas zapatillas cómodas para estar por casa.

– ¿No piensas contarme nada, mamá? –comenzó a protestar Sara–. Mira, mamá, que he sido buena y te he preparado la cena…
– ¿A alguien se le había ocurrido, o pasado por la cabeza en algún momento, que ese hombre podía estar casado? ¿Eh?
– ¡Qué dices! –exclamó Sara con cara de espanto–. ¿Está casado?
– No, pero ni siquiera lo preguntamos –Marta estaba en el baño lavándose las manos; *ni siquiera lo pregunté*, pensó–. Anda que… vaya par.

Pero Sara sonreía. Marta fue a buscar la bata a su cuarto y venía poniéndosela.

– Supongo que mi amiga María José sí sabía que era viudo –dijo Marta–. Perdió a su mujer y a su hijo de tres años en un accidente de coche.
– Pobre *tío* –dijo Sara muy seria.
– Pero lo lleva bien, dentro de lo que cabe. Eso me ha dado a entender. Fue hace ocho años.

Sara seguía a su madre, deseosa de escuchar con todo lujo de detalles el informe de la cita. Marta guardó silencio.

– Bueno, ¿y qué más? –preguntó la hija.
– ¿Cómo que qué más? ¿Qué quieres que te cuente?
– Todo. Cómo es, qué te ha dicho, cuándo volveréis a veros… Porque volveréis a veros, ¿no?
– ¿Tú ya sabes que ese hombre no vive en Barcelona?
– ¡Ah! ¿No? –Sara se quedó un momento callada–. ¿En algún sitio de Cataluña, entonces?

Marta negó con la cabeza.

– Pero vive en España, ¿no?
– Sí, eso sí –le encantaba la frescura de su hija y esa facilidad que tenía para fabular. Le venía de familia.
– ¡Menos mal! Ya estaba empezando a preocuparme. ¿Dónde vive?
– En Madrid.
– ¡Ah, bueno! ¡Podía ser mucho peor! Si alguna ciudad está bien comunicada con el resto, es Madrid, ¿no?
– Veo que te quedas más tranquila –dijo Marta con sorna.

– Sí, mucho más tranquila. Sigue contándome, anda.

– ¿Sabes que, ahí donde le ves, profesor universitario, ya con una cierta edad, alto y grandote… se pone colorado?

– ¡Qué majo…!

– Creo que es tímido… con las mujeres, quizá.

– O sólo contigo, porque le has impresionado… –Sara comenzó a reír.

– ¡No digas bobadas! –*¿a quién podría impresionar yo a estas alturas?*, pensó Marta, y añadió:– Bien, ¿cenamos o qué? Que para una vez que me lo encuentro todo hecho…

Se dirigieron a la cocina, se sirvieron los platos, llevaron la bebida a la mesa y Sara continuó con su interrogatorio.

– Y de nuestro tema, ¿qué? ¿Qué te ha dicho del texto?

– Se ha mostrado muy interesado y servicial, la verdad. Creo que le pica la curiosidad. Pero ha tenido que marchar urgentemente en cuanto se lo he enseñado porque se ve que su padre se está muriendo.

– *Jolín*, qué mala suerte.

– Pues sí –Marta miró de frente a su hija antes de seguir–. Y eso es todo.

Sara no podía disimular su decepción. Su cara era todo un poema. Comenzó a cenar en silencio. Marta la observaba. Decidió encender el televisor para distraerse.

– Oye, mamá. ¿Y no vas a volver a verle?

– ¿A quién? ¿A Enrique Alonso? Lo dudo. Él ha estado muy amable al despedirse diciendo que nos encontraríamos en otra ocasión. Pero la verdad es que yo lo veo bastante complicado.

– ¿Tiene tu teléfono?

– No.

– ¿Y tú tienes el suyo?

– No.

Sara escenificó un profundo suspiro. Marta no se alteró, haciendo un gran esfuerzo por permanecer seria.

– A ver, mamá. Es que no tienes ni idea –dijo Sara negando enérgicamente con la cabeza.

– La próxima vez, antes de una cita, me das un cursillo, y así no cometeré tantos errores. Por cierto, he ido con vaqueros…

– Ya lo he visto. Pero ibas guapa.

– Gracias.

– De nada.

Durante la noche comenzó a llover. El viento empujaba el agua contra la ventana de la habitación y el golpeteo continuado despertó a Marta. Miró el reloj y eran sólo las cinco y diez. Tenía casi una hora para dormir, pero intuía que le sería difícil volver a conciliar el sueño, aunque de todos modos lo intentó. Por las rendijas de la persiana veía la luz de los relámpagos. Oyó a su hija ir un momento al baño. ¡Ella sí que volvería a dormirse! Bendita juventud, que decía su madre y muchas de las madres que ella conocía.

Pasadas la cinco y media se levantó. Fue a la cocina y puso la radio a un volumen bajo, mientras se preparaba un café bien cargado. Si no fuera por el sueño, esa *hora del café* era un momento hermoso: un día que comenzaba, lleno de posibilidades. En verano, a esa hora tan temprana, llegaba olor de café desde las otras cocinas del edificio y Marta sentía una especie de solidaridad vaga con esos otros que, haciendo también un esfuerzo por salir de la cama y ponerse en pie, apostaban por una jornada más o menos incierta.

Seguía lloviendo a cántaros, así que se puso las botas y un chubasquero. Pero tenía serias dudas sobre el estado de sequedad de su vestimenta una vez llegara a la oficina. Alcanzar la parada del autobús ya fue toda una odisea, con un viento indeciso que no sabía qué dirección tomar. Aguardar la llegada del vehículo se convirtió en toda una prueba de fortalecimiento del carácter… que Marta superó a duras penas, sin maldecir a nada ni a nadie, sin perder los estribos y sin volverse a casa.

La entrada de la oficina había sido decorada por el personal de seguridad con una larga alfombra para que absorbiera parte del agua que los empleados desprendían con profusión al entrar en la agencia de la Administración. Marta siempre se tomaba con humor esta estera (sólo le faltaba ser roja) y resistía a duras penas la tentación de saludar a derecha e izquierda, cual alteza real o estrella de cine a un público inexistente, especialmente a esas horas de la mañana.

Cuando llegó a su sitio, después de dejar mínimamente organizado el tema del chubasquero que todavía goteaba y el paraguas, antes de tomar asiento, sonó el teléfono de su mesa.

– Sí, hola.
– Hola, Marta. Soy María José –escuchó al otro lado de la línea–. Hoy no iré. Ayer por la tarde tuvimos que volver a ingresar a mi madre. Ha empeorado mucho. Puede que no lo supere.
– Tú no te preocupes. Ya te firmo el parte. Quédate con tu familia. Deseo que todo vaya lo mejor posible.
– Gracias, Marta.
– Y si hay algo en lo que pueda echar una mano, me lo dices. Ya sabes que hablo en serio.

– Sí, gracias. Ya te diré algo.

– Un abrazo –Marta oyó cortarse la comunicación.

De nuevo, alguien que muy posiblemente *no iba a superar* unas complicaciones en su salud. Es decir, que iba a *morir*. Aunque fuera una persona que hubiera disfrutado de una larga vida, caramba, pensaba Marta, la muerte es la muerte, y es absoluta y definitivamente el final.

Aquel jueves falleció la madre de María José, y Marta decidió ir a la ceremonia de entierro que se celebraría el sábado. No tenía tantas amigas como para no acompañarlas en momentos tan importantes como éstos, por más que supusiera que el acto sería religioso.

Tuvo que dirigirse al tanatorio nuevo, el de la ronda. Para llegar en transporte público el tema estaba complicado, así que Marta salió con mucho tiempo de antelación y fue en metro. Una vez en la zona, tuvo que caminar un buen trecho por la acera del lateral de la ronda. Si no hubiera soplado tan intensamente el viento, quizá hubiera podido considerarse un paseo. Pero en aquel lugar no había nada que detuviera el aire y le daba fuertemente de lado. Cuando enfiló la calle para llegar a la entrada del tanatorio, una pronunciada cuesta hacia arriba, agradeció, sin embargo, que el viento estuviera a su favor.

Al llegar a las puertas acristaladas se tomó unos momentos para normalizar su respiración después del ascenso. Y al entrar cayó en la cuenta de que no sabía el nombre de la madre de su amiga, así que le sería difícil localizar la sala de vela. Pensó en los apellidos de María José: *Gracia… Gracia… ¡Puigblanch!* Ya lo tenía. Ésa era una de las ventajas de trabajar en una oficina y

ser jefa: disponías de los listados del personal de tu sección por mil y una vías, por mil y una razones. *Puigblanch, Puigblanch… Nuria Puigblanch.*

Cuando se acercaba al lugar empezó a ver mucha más gente de la que esperaba encontrar. ¿Estaban todos allí por la madre de su amiga? No había otras salas abiertas en aquella planta.

Marta había vivido aquello antes y lo reconoció. Como en medio de una nebulosa, comenzó a recordar. Cuando tenía dieciséis años murió su abuela. Alguien insignificante, sin duda, pero que formaba parte de una gran familia, como ahora: las iglesias protestantes, que se conocían y se querían, y cuyos lazos permanecían a pesar de ciertas dificultades ocasionales de convivencia. Ella conocía el ambiente, el trabajo, la dedicación, el arropo. Aunque luego lo desechó.

En algún momento salió su amiga María José con otras personas que suponía de su familia, repartiendo las rosas de las innumerables coronas que habían recibido mientras saludaban y agradecían la presencia a todos los asistentes, uno por uno, más de doscientos quizá.

Marta vio a su amiga cansada, triste, pero serena, como si supiera algo que hiciera ese momento menos terrible de lo que parecía.

– ¡Hola, Marta! Muchas gracias por haber venido –le dijo María José entregándole una preciosa rosa de color granate todavía muy cerrada.

Marta abrazó a su compañera. No sabía qué decir, pues aparte de las fórmulas de rigor, que en ese momento le parecían abrumadoramente huecas, era consciente de que no había palabras, o en todo caso ella no las tenía, que pudieran consolar a María José. Si las pronunciaba, además, estaba segura de que no sonarían auténticas. Así que calló.

A la entrada de la sala de ceremonias le dieron un recordatorio de la madre de su amiga y una fotocopia con el programa del acto. Tal y como ella recordaba de cuando era niña, iban a cantar. ¡Por supuesto! Y podían hacerlo porque conocían el secreto, pensó. ¿Quién, si no, conseguiría cantar en un momento como éste? Cuando entró el féretro y todos se pusieron en pie, sonó una canción por la megafonía de la gran sala que, entre violines y piano, hablaba de alguien que, por fin, iba a verse cara a cara con la persona a la que más había amado durante toda su vida. Marta se conmovió. Conocía quiénes eran los protagonistas de la historia.

El resto del culto Marta lo vivió como transportada en el tiempo. Después, estando ya en casa, se recordaría a sí misma bajando la cuesta, caminando en medio de la ventolera para llegar al metro, sentada en el vagón, viendo pasar una estación tras otra sin fijarse, mientras en su cabeza resonaban las mismas palabras que en el pasado. Pero, aun habiéndolas rechazado y procurado olvidar, habiéndolas encerrado tras una puerta y echado la llave con muchas vueltas, volvían a ella sorprendentemente bellas, francas, luminosas. *Sabemos que no es un adiós, sino un hasta luego. Nuestra esperanza es una esperanza cierta, una esperanza viva. Porque, ¿de qué sirve la fe si su fundamento no es sólido? Sería simplemente un autoengaño. ¿Quién nos da garantía de lo que creemos? ¿Puede merecer la confianza de una persona del siglo XXI? ¿Merecía la de la señora Nuria? Sí, porque…*

De los dos himnos que cantaron, ella conocía uno. Veintidós años estuvo escuchando aquellas hermosas frases llenas de

promesas, entonándolas en cancioncillas para niños primero, en himnos después, en estilos más marchosos para jóvenes al final. Eran las palabras del libro que ella, la gran lectora, no había querido ni tan siquiera hojear desde hacía tantos años. Pero la música del himno, la letra tan familiar, todas aquellas voces cantando como una sola su certeza y su confianza aun en medio del trago de la muerte, hicieron que Marta saliera casi huyendo de la sala, con los ojos anegados en lágrimas, hipando su llanto por el inmenso vestíbulo hasta alcanzar la puerta de salida.

¿Cuándo perdió ella todo aquello? Bien lo sabía. ¿Por qué? También lo conocía.

Llegó a casa abatida. Sara se dio cuenta y puso en marcha ese sexto sentido que tienen los hijos y que son capaces de ejercitar si les place. Después de comer, Marta se acostó y Sara salió, como de costumbre, con sus amigos.

El lunes por la tarde, cuando Sara llegó a casa, entró tan agitada que la puerta dio un fuerte golpe contra la pared y Marta salió a ver qué ocurría.

– ¡Mamá! ¡Me han robado! –dijo.
– ¿Te han hecho daño? –preguntó la madre, observando bien a su hija en una rápida revisión.
– No, no. Yo no me he dado cuenta, ¡pero me han quitado los papeles!
– ¿Qué papeles, Sara?
– ¿Qué papeles van a ser, mamá? Los papeles, los del abuelo, el texto encriptado.
– ¿Estás segura?
– ¡Y tanto! –exclamó Sara casi ofendida.

Estaba dejando todos sus trastos encima de la mesa del comedor y Marta la seguía.

– Mira, mamá, ves la mochila, ¿no? Aquí llevo un par de libros de la *"uni"*, la carpeta con los apuntes, y llevaba la carpeta con las fotocopias. ¡Sólo me han quitado esa carpeta!
– ¿Estás segura de que no la has sacado para nada, para enseñar las copias al equipo de investigación o mientras buscabas algo en la mochila y te la has dejado olvidada?
– Mamá, por favor –dijo Sara mirando a su madre con reproche.
– Vale, de acuerdo. ¿Y por qué habrían de robártela?
– Eso viene a confirmar mi teoría, mamá, de que ese documento es muy importante y alguien que ha sabido de su existencia ha querido hacerse con él por las buenas o por las malas.
– Bueno, por lo menos no ha sido muy por las malas. ¿Dónde crees que te la han quitado?
– Quizá en clase, o en el bar de la facultad, que dejo la mochila en el suelo. En el metro creo que no, porque llevo bastante controlada la mochila.
– ¿Y quién, aparte de Marc, Silvia y Guillem, sabe algo del escrito?
– Que yo sepa, nadie –dijo Sara, pensativa–, a menos que uno de los tres se haya ido de la lengua…

Como todos los del equipo y los posibles ladrones tuvieran la cabeza tan llena de pájaros y lecturas sobre enigmas como su hija, aún acabarían corriendo por callejuelas estrechas en medio de la noche, con *los malos* pisándoles los talones, para poder salvar la piel y poner a buen recaudo el gran secreto contenido en el escrito. En fin.

– ¿Y qué va a pasar ahora? –preguntó Marta.

Sara miró a su madre y se encogió de hombros.

– ¿Vas a informar a tu equipo? –insistió la madre.

– Tendré que hacerlo. Y no voy a quedar muy bien.

– ¿Por qué?

– Pues porque yo no he confiado mucho en ellos, ya que sólo les di un fragmento del escrito, y ahora no he sido capaz de guardar con un mínimo de competencia unos simples papeles. Qué vergüenza.

– Tampoco pueden decirte nada, creo yo –dijo Marta, por quitar un poco de hierro al asunto–. Al fin y al cabo no tenías por qué decirles nada, y les incluiste en el tema.

– Sí, pero fue para pedirles ayuda, que si no... –Sara tomó aire– Y, ¿sabes lo peor? En este caso, que sean los originales o no seguramente es lo de menos, no como en las novelas.

– ¿Qué quieres decir?

– Pues que seguramente lo importante es el mensaje en sí, no sé, es otro de mis pálpitos... y no me mires así, que la otra vez ya acerté...

– ¿He dicho yo algo? –dijo Marta–. Anda, sigue.

– Pues que si es algo que escribió tu abuelo, que es lo más probable, tampoco tendrá un gran valor para la historia dado que no es un personaje que salga en los libros...

– Igual después de esto hay que incluirlo...

Sara hizo una mueca que quizá pretendía ser una sonrisa.

– Bueno, yo no lo creo –dijo la chica–. La importancia está en el contenido del mensaje. Cuando tengamos la traducción (y ahí estamos bastante atascados, pues el equipo no es, precisamente, y empezando por mí, el más capacitado ni está muy puesto con el tema), cuando tengamos la traducción, digo, comprobaremos la trascendencia del descubrimiento. Y esperemos no llegar tarde.

– ¿Tarde? –dijo Marta.

– Sí, esperemos que no se nos adelanten los que nos lo han robado hoy.

– Ahora estoy empezando a preocuparme...

– ¿Verdad que sí? –Sara no miraba a su madre, si no se habría dado cuenta de la dudosa seriedad de sus palabras; seguía cavilando–. Se me ocurre que si Marc o Guillem, incluso Silvia, aunque a ella no se la ve muy entusiasmada, la verdad, han pedido ayuda a terceras personas para descifrar el texto, no es que se hayan ido de la lengua, es que necesariamente hay más gente que está al tanto de lo que nos traemos entre manos...

Concentrada todavía en sus pensamientos, Sara cogió su chaqueta y la mochila de encima de la mesa y se fue hacia su cuarto. Allí permaneció hasta la hora de la cena.

Durante toda aquella semana la joven estuvo más callada y más pensativa de lo habitual y Marta se dio cuenta. Se preguntaba si la cuestión del robo de los papeles podía haberla afectado tanto, o si quizá había tenido un encontronazo por ese motivo con los compañeros del equipo de investigación. Pero lo dudaba. Esperó al sábado por la mañana, a aquellos momentos de calma, de desayuno sin prisas y bata de invierno. Cuando Sara entró en la cocina, tuvo listas su leche y sus galletas, y se sentó, Marta inició la conversación:

– Sara, ¿va todo bien? Te veo algo preocupada, ¿puede ser?

La chica levantó los ojos de lo que estaba haciendo con el vaso y la cucharilla y tardó un segundo más de lo necesario en contestar:

– No… Todo va bien.

– ¿Has tenido algún problema con Guillem o Marc por haber perdido el escrito? Con Silvia no, ¿verdad?

– Oh, no, no –Sara sonrió–. Ahora todos estamos más convencidos de la importancia de nuestra labor.

Al ver la expresión interrogativa de su madre, la chica rápidamente añadió:

– La de traducir el texto.

– Ah. ¿Y exámenes? ¿Tienes ya exámenes?

– No… Bueno, en realidad en casi todas las asignaturas es evaluación continua, y lo llevo bastante bien. No sufras, mamá.

– Bien, bien. Me alegro.

Siguieron desayunando en silencio. Sara había puesto la radio, una emisora de música que para el gusto de Marta dejaba mucho que desear si quería que todos los temas fueran considerados como tal. Le vino a la cabeza la expresión *música ratonera* que empleaba su madre cuando ella ponía emisoras de música actual… en su época (veinte años atrás). Verdaderamente, todo se repetía. Se levantó de la mesa con una media sonrisa en los labios para dejar la taza del café con leche en el fregadero.

– Mamá…

– ¿Sí? –Marta se volvió.

A su hija le estaba costando hablarle, y ella se estaba asustando un poco.

– Dime –insistió.

Sara aún titubeó unos instantes. Al final, su cara mostró claramente que había resuelto hablar sin dudar ni un momento más:

– Mamá, me gustaría presentarte a alguien.
– Muy bien –dijo Marta, pero volvió al taburete, porque sus rodillas le habían fallado un momento–. ¿Y quién es?
– Se llama Dani. Era del instituto, de aquí del barrio, muy buen tío. A mí me gusta mucho y él también me quiere.
– ¿Cómo sabes que te quiere? –a Marta le salió así, sin poderlo filtrar, sin controlar las palabras que decía, sin medir el efecto que causaban sobre su hija.

Sara se la quedó mirando sin decir nada. Volvió a la leche y las galletas.

– Sara, me alegro por ti, de verdad. Si es un buen chico, me encantará conocerle. Y si no también, claro, qué voy a hacer… –trató de sonreír.
– Gracias.
– ¿Estáis saliendo?
– Sí.
– ¿Desde cuándo?
– Desde hace dos semanas. Es del grupo de amigos de los sábados. Ahora viene a buscarme a la salida de la facultad o yo le espero a él. Está estudiando Filología Inglesa.

A Marta le entraron muchas ganas de llorar, pero siguió en la cocina intentando conversar con su hija en una actitud razonable. Se levantó, lavó su taza del desayuno y la cucharilla y las puso a escurrir.

– Sara –dijo armándose de valor para escuchar la respuesta–. Sara, ¿temías decirme que estás saliendo con un chico?

La chica no contestó inmediatamente. Puso sus manos sobre la mesa y miró a su madre. Estaba escogiendo las palabras para expresarse lo mejor posible, con claridad y sin herir a la mujer que tenía delante, a la que amaba y respetaba. Marta aguardaba.

– Mamá, ya no soy una niña. Me doy cuenta de todo lo que has hecho y haces por mí. Recuerdo que hace muchos años, siendo yo pequeña, te pregunté: *Mamá, ¿yo no tengo papá?*, y tú me contestaste: *Todas las niñas y todos los niños tienen papá.* Yo quise saber dónde estaba el mío y tú me dijiste: *Te lo contaré cuando seas mayor, confía en mí.* Bien. Eso es lo que he hecho.

Sara tomó aire. Volvió a mirar a los ojos a su madre y continuó:

– No hace falta ser muy lista, mamá, para darse cuenta de que hay dos cosas sobre las que no quieres hablar: sobre mi padre… y sobre esa parte de tu niñez que tiene que ver con la Iglesia. Sobre esta segunda creo que puedo esperar. Sobre la primera, no. Tienes que hablarme de mi padre, mamá.

A Marta le caían gruesas lágrimas por la cara. Qué hija tan maravillosamente inteligente.

– Querida niña –dijo Marta, a pesar de todo sin temblor en la voz–. Ya sé que no tiene por qué ocurrir. Es más, sé que no va a ocurrir, pues tú eres mucho más lista que yo, ya lo veo. Pero no puedo evitar tener miedo por ti. Sólo es eso –hizo una breve pausa–. ¿Por eso temías hablarme?
– Sí.

– Tú no te preocupes por mí. Soy yo quien debe preocuparse por ti. Eres una buena hija. Y quiero que seas muy feliz.

Sara terminó de desayunar mientras Marta preparaba sobre el mármol algunos de los ingredientes para la comida. La chica se levantó y dejó las cosas en el fregadero. Antes de salir de la cocina, todavía se animó a decir:

– Mamá, tienes que contármelo. Necesito saberlo.
– ¿Y qué quieres que te cuente, hija mía? –la voz de Marta sonó con tono de súplica.
– Cuéntamelo todo, mamá. Todo.

VI

Fragilidad

Marta tendía la ropa en la galería. Ocupó el fin de semana en realizar un sinfín de tareas de la casa que requerían esfuerzo físico y que no eran del todo necesarias en ese momento. Pero ella sí necesitaba ocuparse en algo que precisara también concentración y cierta pericia. Limpió los cristales; ordenó los armarios, tanto los de su ropa como los del comedor y parte de los de la cocina; limpió las baldosas de la galería, de la cocina y del baño. Era domingo por la tarde y acababa de poner una lavadora que sí era necesaria pero que, con tanto trajín, casi se le había olvidado.

Decidió ir a dar una vuelta para que le diera el aire. Se dio una ducha, se secó el pelo y, una vez arreglada, salió a la rambla. Oscurecía, aunque era temprano.

Ya había estado pensando en todo lo que tenía que pensar. Sabía lo que le contaría a su hija y cómo. No quería que en el lote fueran demasiados de sus fantasmas. Al menos lo intentaría. Las otras cuestiones, todas las otras preocupaciones que asediaban el corazón de Marta y que la habían asaltado una tras otra en aquellos últimos días, tendrían que esperar. Un asunto cada vez. Primero, su hija. Luego, lo demás. Aunque lo demás fuera su propia alma.

Había un tramo rambla abajo en que los árboles eran menos altos y sus copas casi se tocaban. Ese trecho le gustaba a Marta. Era más húmedo, más umbrío y fresco que el resto. En verano era muy agradable. Casi en invierno y oscurecido ya (poco importaba), la sensación de ir bajo un techado de ramas y hojas le era igualmente grata. No sabría decir qué árboles eran, sólo que en algún momento lucían flores lilas.

Marta siempre había lamentado ser tan *de ciudad* que era incapaz de distinguir incluso los árboles. Pinos, palmeras y cipreses... y algunos de los frutales, pero si llevaban la fruta colgando. ¡Qué lástima!

Siguió su paseo y estuvo tentada de acercarse hasta la playa. Pero se lo pensó mejor y comenzó el regreso a casa.

– Caramba, mamá –dijo Sara al entrar en la cocina aquella noche–. ¿Esto brilla más o me lo parece a mí?
– Le he pasado un paño esta mañana... –contestó Marta, quitándole importancia; pero agradecía que notara el esfuerzo.

Al día siguiente, mientras Marta esperaba el autobús, una bandada de palomas que parecían enloquecidas daba vueltas una y otra vez al bloque de pisos donde estaba la parada. Si ese vuelo indicaba que iba a llover ya podían prepararse para el diluvio universal. Alguno de los habituales a esas horas apuntó que quizá las antenas, de las cuales ciertamente había muchas por la zona, afectaban a las aves. Pudiera ser. Recordaba las ratas invadiendo el archivo de la Administración cuando se efectuaron las obras de construcción del metro. Y la inmensa plaga actual de cucarachas en una zona de la ciudad que las autoridades no sabían cómo atajar. Ahora pájaros que se volvían locos. Madre mía, ¡cómo estaba el patio!, pensó Marta.

Al llegar a la parada del trabajo y bajar del autobús, siempre coincidía con algún que otro compañero de la oficina. Era curioso cómo cada uno afrontaba el inicio de la jornada. Una compañera pelirroja, en lugar de acelerar el paso para llegar y fichar cuanto antes y así salir un poco más pronto, ralentizaba el paso, abría el bolso y sacaba, con toda la calma del mundo, un cigarrillo y el encendedor, y se lo fumaba dando una especie de paseo en las apenas dos calles que tenía de trayecto. Otros cruzaban jugándose la vida, con los semáforos en rojo, por en medio de los coches, las motos y el resto de vehículos, dando la impresión de que los destinos de todo un país estaban en sus manos y su presencia era requerida y esperada para decidir las cuestiones más trascendentales justo en ese preciso instante.

Marta caminaba a buen paso sin poder quitarse de la cabeza la conversación que tenía pendiente con su hija. Al doblar la esquina que encaraba la calle que baja hasta el mar, el cielo le regaló esa luz rosada e intensa que es capaz de teñir las calles grises durante unos segundos, mientras una cáscara de luna se escondía detrás de uno de los edificios oficiales que tanto abundaban en la zona. Salió de sus cavilaciones y contempló, aminorando la marcha, el espectáculo. *Quizá sólo hoy coincide este cielo con mi horario.*

Hacía frío, y agradeció el calor que surgía del parking de uno de los Ministerios. ¡Cuántos pequeños detalles podían tenerse en cuenta para ir por una acera o por la otra, según fuera invierno o verano! Marta pensó que se estaba volviendo *mayor*, pues todas estas reflexiones jamás —¡jamás!— le habían venido a la mente en todos los años que llevaba haciendo el mismo recorrido hacia el trabajo.

La primera hora de la mañana transcurrió tranquila y sin complicaciones y Marta reconoció que era muy oportuno para su estado de ánimo disperso. Salió a desayunar sola, como solía hacerlo, con su libro de turno a su bar habitual donde era acogida con esa familiaridad de la clienta conocida que es bien recibida. Se sentó en *su* mesa y, sin pedir nada, en unos momentos tuvo delante su café con leche y su cruasán. Entonces sonó su teléfono móvil. Lo sacó del bolso con prisa y vio que no tenía el número identificado.

– ¿Sí?
– ¿Marta?
– Sí, soy yo.
– Soy Enrique Alonso, no sé si me recuerda…

Marta se quedó sin habla. Desde luego no esperaba esa llamada.

– ¿Marta? ¿Me oye bien?
– Sí, sí, perdone…
– Ah, bien, es que no la oía. Perdone que la moleste. ¿Cómo está?
– Bien, gracias… –Marta comenzaba a reaccionar–. ¿Y su padre?
– Oh, pasó a la presencia del Señor aquella misma semana.
– Lo siento mucho, de verdad.
– No se preocupe. Él estuvo confiado en Dios hasta el último momento, y mi madre está también tranquila y confiada.
– Me alegro, entonces… –Marta no sabía si estaba usando las palabras adecuadas, pero esperaba que don Enrique entendiera lo que quería decir.
– Gracias, gracias –Enrique Alonso hizo una breve pausa y cambió de tema–. Mire, Marta. Llamo por lo del texto que dejamos pendiente. ¿Lo tiene resuelto ya?

– No, qué va. El famoso *equipo de investigación* anda un poco atascado, con la novedad de que alguien ha robado, parece ser, una copia de todo el texto, con lo cual están todos más convencidos que nunca de que lo que llevan entre manos tiene de verdad importancia.

– Caramba, caramba. Qué interesante –Enrique Alonso hizo otra pausa–. Mire, voy a proponerle una cosa, a ver si le parece bien.

– Usted dirá –Marta no se reconocía hablando con estos giros, y se le escapaba una media sonrisa.

– La cuestión es que yo voy a estar en Barcelona para el séptimo Congreso Evangélico en este próximo puente de diciembre, pero mucho me temo que mi agenda es ya tan apretada que va a ser difícil que podamos coincidir en algún momento. ¿Va usted a asistir, Marta?

– Nnno, no pensaba hacerlo. Lo lamento.

– Bien, no se preocupe, porque esto es lo bueno de vivir en el siglo veintiuno. ¿Tendría usted inconveniente en mandarme *escaneada* a mi correo electrónico la primera página, por ejemplo, del documento?

Marta tardó un instante en contestar.

– No, claro que no. Aunque, si le digo la verdad, creo que primero deberé consultarlo con el equipo de investigación de mi hija.

– Bien, claro, por supuesto. De todos modos, le agradecería que me dijera algo, tanto si me lo va a enviar como si no. ¿Le parece bien?

– Sí, naturalmente. Gracias por su interés, don Enrique.

– No hay de qué. Y, si me permite, le ruego que no me llame *don* Enrique, sino sólo Enrique... y, ya puestos, igual podría tutearme, si no le parece mal.

Marta de nuevo quedó unos momentos en silencio. Ya sonreía abiertamente al contestar:

– Bien, lo intentaré…
– Y yo te lo agradeceré, Marta, que con esto del usted a uno le caen como mínimo diez años más encima…
– Muy bien, no se preocupe… no te preocupes…
– ¿Quieres tomar nota de mi dirección de correo?
– Sí, un momento, que busco el bolígrafo… A ver, dígame… dime…

Marta anotó el correo electrónico, lo repitió para asegurarse de que lo había escrito bien, se despidió y colgó. No pudo leer su libro. Sólo podía sonreír. Se tomó el cruasán y el café con leche deprisa y corriendo, pagó y salió hacia la oficina sin entretenerse.

Cuando llegó a su departamento, sin quitarse el abrigo ni soltar el bolso, acercó su silla a la de María José y le dijo:

– Oye, tú, hermosa: ¿a quién le vas dando el número de mi móvil sin mi permiso?

Marta quería permanecer seria unos minutos y simular un cierto enfado, pero se daba cuenta de que, como una colegiala, estaba más contenta que unas castañuelas y era incapaz de no sonreír. María José alzó la vista de los papeles que la ocupaban, la observó un instante con mirada interrogadora, y captó que Marta estaba de buen humor, así que respondió en tono de broma.

– ¿Yo? ¡A nadie! A nadie… Bueno… Quizá a un profesor o a ninguno…
– ¡Si serás…! ¿Y no podías avisarme? –Marta fingía un enojo que tampoco pretendía engañar a nadie.

– A ver, don Enrique es tan…

– Enrique, a secas y de tú –cortó Marta, casi riendo–. Que lo sepas.

– ¡Caramba, chica! ¡Qué progresos!

– No, progresos no, pero para que te sitúes…

– Vale, vale –admitió María José–. Pues el que para ti es Enrique Asecas Ydetú, y para el resto don Enrique Alonso Noséquemás, es tan atento y tan formal que habiendo dejado a medias vuestra última cita…

– No era una cita…

– Bueno, vuestro último encuentro…

– A ver, último y primero –Marta disfrutaba–, que no nos conocemos de nada, María José…

– Ya, ya, todo lo que tú quieras. Pero para ti ya no es *don Enrique*.

– Bueno, sigue –apremió Marta.

– La cuestión es que se sintió mal por haberte dejado tan bruscamente cuando os encontrasteis, al marchar a causa de lo de su padre, dejándote casi con la palabra en la boca, de manera que parece ser que llamó al que organizó aquella conferencia en mi iglesia para pedir quién podía ser el contacto contigo… y en fin, que les di tu teléfono.

Marta callaba, pensando cuántas molestias se había tomado don Enrique (era difícil tutearle, aun de pensamiento, por ahora).

– Marta, yo no quiero decir nada, pero ¿no crees que muestra un poco de interés por ti?

– No, tú no quieres decir nada, ya lo veo… Pero más bien muestra interés por el escrito encriptado, que es lo suyo, ¿no crees?

María José miró a Marta a los ojos. Entonces añadió:

– Bien. Sea como sea, que sepas que es un buen tipo.

– Vaaaale. Mensaje recibido –Marta quedó quieta y callada un momento–. Voy a trabajar un poco.

– Muy bien.

Marta devolvió la silla a su mesa, dejó el bolso en el cajón y llevó el abrigo a la taquilla. Cuando se sentó para ocuparse de las tareas pendientes fue incapaz de concentrarse. Movió papeles de un lugar a otro, fingió que consultaba expedientes, se levantó para ir al baño, volvió a intentar resolver algo con provecho, consultó el correo interno, hasta que finalmente tuvo que admitir que si tenían que pagarle el complemento de productividad tomando como referencia esa mañana, iba a salir muy mal parada. Tomó la firme resolución de compensar su negligencia redoblando el trabajo al día siguiente y repasando lo que estaba resolviendo hoy, que tenía muchas probabilidades de contener algún que otro error.

Marta miraba a los compañeros de su departamento preguntándose qué habría detrás de cada rostro, qué cargas pesarían sobre cada espalda, y si cada corazón escondería aunque fuera una pequeña alegría. Porque había miradas de amargura permanente, palabras de perfidia solapada, incluso crueldad manifiesta en más de un comentario; encontraba talantes de paz a pesar de las circunstancias, actitudes de un conflicto inacabable, gestos de demencia mal disimulada; algunos parecían no tener otra vida que lo que ocurría en la oficina, que incluso no sabían qué hacer con los días de vacaciones, que les parecían demasiados. Ella nunca lo había podido entender, pues sólo el hecho de no venir al puesto de trabajo, no fichar la entrada y la salida, ya le parecía suficiente premio.

Detuvo los ojos en aquel compañero que replantaba los parterres vacíos de su pueblo. En su propia terraza cultivaba plantas que no requirieran mucho cuidado y, cuando las tenía a punto y era la época adecuada, las trasplantaba a los tiestos abandonados por el Ayuntamiento. En ocasiones había encontrado cómplices en la dueña de un bar cercano, el portero de una finca o una joven pareja que estaba a favor de la ecología. ¿Qué otras aficiones podrían anotarse de entre toda aquella gente? Tuvo un ligero escalofrío, porque le vino un pensamiento a la cabeza: *algunas inconfesables, seguro.*

Aquella noche, Marta y Sara recogían los platos de la cena mientras miraban la televisión, aprovechando el intermedio de la película. La madre se quedó en la cocina, dispuesta a fregar, mientras la hija traía el mantel para sacudir las migas. Cuando ya casi salía de la cocina, doblándolo, Marta le dijo:

– ¿Sabes quién me ha llamado hoy? Enrique Alonso.
– ¿Quién es?
– El profesor aquel que nos iba a ayudar a descifrar el texto.
– ¡Es estupendo, mamá!
– Sí, porque vosotros estáis bastante atascados…
– ¡Mamá! ¡Es estupendo porque se ha puesto en contacto contigo!
– Le he dicho que os pediría permiso para mandarle escaneada una página del texto… –Marta estaba de espaldas a Sara, concentrada en lavar la vajilla.
– ¡Que sí, mamá! ¡Que se la mandes…! ¿Te ha dado su *mail*?
– Oh, claro, ¿cómo podría mandársela si no?
– ¡Es fantástico!
– ¿No vas a pedirles permiso a los del equipo de investigación?
– A ver, el texto es nuestro. Además, alguien nos ha robado una copia. Ya no importa que lo tenga uno más. Y éste tiene más probabilidades de resolverlo que todos los demás juntos, la verdad –Sara tomó aire un momento–. Mamá, ¿me

estás diciendo que Enrique Alonso tiene tu teléfono y tú tienes su *mail*? ¡Es realmente maravilloso!

Sara abrazó fugazmente a su madre por detrás haciendo que ésta tuviera que parar de fregar los platos y salió contenta de la cocina, dejando el mantel que llevaba en las manos doblado de cualquier manera encima de un taburete. Marta apoyó las suyas enguantadas en el fregadero, miró hacia mucho más allá de los tenedores, los vasos y la sartén que tenía delante, y pensó que de todos modos un momento de ilusión, aunque luego quedara en nada, tampoco hacía daño a nadie, ni a Sara ni a ella misma.

Sara volvió a la cocina como un torbellino y, desde la puerta, preguntó con los brazos en jarras y en tono inquisitivo:

– Mamá, ¿a qué hora te ha llamado Enrique Alonso? Porque yo he estado aquí desde la hora de comer y, que yo sepa, sólo has hablado con los abuelos.
– Esta mañana, mientras desayu…
– ¡Por favor, mamá! –sus gestos expresivos demostraban el grado de su indignación–. ¿Y por qué no me lo has dicho antes? ¡Si te descuidas nos vamos a dormir y no me dices nada!
– ¡Pero bueno, Sara! ¿Quieres relajarte?
– Mamá, esto es importante.
– Oh, sí, ya lo veo. Al final acabarás poniéndome nerviosa.
– Vale, perdona. ¿Cómo habéis quedado?
– ¿Quedado de qué? Ya te lo he dicho: le mando la copia de la primera página…
– ¿Pero no vais a veros?
– No, hija, no.
– Vaya.
– Es lo que te estoy diciendo, Sara, que te relajes.

– Sí, será mejor.

– Será mucho mejor –Marta abrió el grifo mientras Sara salía de la cocina; dejó pasar un tiempo–. Cuando acaben los anuncios avísame, ¿eh?

– Sí, mamá –oyó la voz de Sara desde el sofá.

Marta se preguntaba, durante aquellos días, si su hija podría entender lo que quería explicarle. ¡Si Sara era una romántica incorregible! ¿Qué podría comprender de la historia que quería conocer? Los hijos no pueden vislumbrar ni la mitad de lo que hay detrás de los hechos y las palabras, porque la vida, muchas veces y a Dios gracias, todavía se lo oculta. Como le ocurrió a ella. ¿Hubiera conseguido imaginar que las palabras de amor y entrega del padre de Sara se le podían clavar como cuchillos, –una a una: ¡mil heridas en el alma!– cuando le dijo que no iba a deshacerse del bebé? Porque se marchó. Era una reacción de lo más común y al parecer todo el mundo lo sabía. Menos ella. O más bien fue que creyó que él era distinto. *Porque siempre creemos que somos distintos –pensaba Marta–, que nuestra vida es única, que inventamos el amor, que la historia en realidad comienza con nosotros. ¡Qué necios! ¿Y qué hacemos con nuestros hijos? Les criamos para que sean como nosotros… o para que no lo sean, pero lo que hemos hecho es abocarles a las mismas inquietudes, las mismas frustraciones, los mismos temores y miedos; al dolor, al sufrimiento, a la vejez y a la muerte.*

Era viernes, llegaba a casa después de la mañana de trabajo y el aire frío que sintió en la cara al bajar del autobús la distrajo de sus lúgubres pensamientos. Últimamente sentía su espíritu revuelto, sin control, aunque aparentaba que todo seguía como siempre y que ella era la misma mujer activa, eficiente y con las ideas claras que todos conocían. Se fijó en que el pequeño lago de la rambla tenía en la superficie una capa casi gelatinosa que atrapaba algunas de las hojas caídas de los árboles, bolsas de plástico y porquerías diversas. Quería llegar a casa.

Al abrir el portal encontró a la vecina del quinto que esperaba el ascensor.

– Hola, señora Pepita. ¿Cómo vamos? Ésta no es su hora de siempre, ¿no?

Marta subía los ocho escalones de rigor.

– Es que vengo del médico. Ahora me dice que tengo los *estiroides* mal. ¡Cada vez que me hace un *analis*, me encuentra alguna cosa! Al menos esta vez no me ha puesto a dieta, como con el azúcar… No, estos *tonopanes* italiano son para mis hijas. A mí ahora me ha dicho que tome pastillas.
– Hay que cuidarse, señora Pepita.
– Lo mejor es no hacerse vieja, te lo digo yo. Oye, nena, tú trabajas para el Gobierno, ¿verdad? Es que no sé qué pasa con mi *anónima*, que en noviembre he cobrado menos, y me ha dicho la Luisa que tú me lo podrías mirar.
– Haremos una cosa, luego me paso un momentito y tomo nota del número del carné de identidad y a ver si puedo hacer la consulta. Pero me tendrá que firmar una autorización.
– Vale, reina. Eres un sol.

Marta trataba de no reír. Siempre había admirado, literalmente, a la señora Pepita, porque era brillante en sus análisis de perfiles psicológicos, ya se tratara de personajes populares de televisión, de vecinos del barrio o de alguien a quien hubiera podido estudiar durante cinco minutos en la cola del ambulatorio. Parecía acertar siempre. Además, sabía la historia de todo el mundo. Le gustaba mucho leer tanto libros como las revistas del corazón. Más de una vez le había prestado alguna novela a Marta. Sin embargo era curioso que siguiera con ese vocabulario tan particular que, casi con toda seguridad, nada ni nadie iba a cambiarle. ¡Ésa era la señora Pepita!

Entró en su casa sonriendo, aun después de la oscura mañana de sus cavilaciones. La medicina sanadora fueron la vivacidad y la gracia de la vecina. Se puso a apañar la comida con buen humor. Qué fina era a veces la línea que separaba una cosa de su opuesto, pensó Marta, y qué sencillo sería posiblemente el modo de encontrar un punto de inflexión para pasar de un lado a otro.

El sábado por la noche Sara le comentó a su madre que a la mañana siguiente saldrían unos cuantos en bicicleta.

— ¿Y a ti quién te la deja? –preguntó Marta.
— El hermano de Silvia, que no va a venir.
— ¿Y quiénes vais?
— Silvia, Dani, Guillem, Laura, y dos más, amigos de Laura.
— Muy bien. Id con cuidado que, por mucho carril para bici que haya, los coches son los coches.
— Sí, mamá. No te preocupes. Hemos quedado a las once delante del instituto.

Cuando Sara se marchó aquel domingo, Marta salió al balcón. El día era soleado y no hacía demasiado frío. Contempló la rambla, primero en dirección a la montaña, luego hacia el mar. Veía a los que paseaban, pues los árboles mostraban únicamente sus ramas desnudas. Algunos abuelos se sentaban repartidos en tres bancos, pero había sólo uno con abuelas. Teniendo en cuenta que hay muchas más viudas que viudos, ellas muy posiblemente estarían preparando la comida. Cuando les veía (desde el balcón alto no podía oírles) discutir acaloradamente sobre cualquier tema, Marta pensaba que aún había esperanza. Pero se entristecía cuando al pasar les veía solos, o acompañados de alguien que no les hablaba, y sus rostros reflejaban aquella desesperación del que sabe que sólo aguarda la muerte. Muchas veces había pensado que los finales de las vidas podían ser de lo más injustos. Y se estremecía. Conocía demasiadas historias de personas mayores que tenían hijos y nietos, abandonadas en sus últimos años a la oscuridad de situaciones indignas, en contraste con otras llenas de compañía, ternura y cuidados. No pudo seguir sus reflexiones, pues ya cerca del mediodía sonó su móvil. Entró en la casa y lo buscó. No recordaba dónde lo había puesto, y parecía que con los ojos llenos de sol se le había desafinado el oído. Por fin dio con él y no reconoció el número. Descolgó.

– ¿Marta?
– ¿Sí?
– Soy Dani, el amigo de Sara. Ella está bien, pero ha tenido un accidente.

A Marta se le cayó el teléfono de la mano. Lo localizó torpemente y buscó una silla donde sentarse mientras se apoyaba en la mesa para no caer.

– ¿Dani?
– Sí. No se preocupe, Marta. Ha venido una ambulancia y ya se la ha llevado al hospital.
– Dios mío… –la voz le salía apenas en un susurro–. ¿Qué ha pasado?
– Pues que íbamos a cruzar por un paso de peatones con un semáforo de esos con intermitencia y un coche le ha dado un golpe. Ha frenado bastante a tiempo, pero igualmente Sara ha caído al suelo.
– ¡Oh, no…! ¿Se ha golpeado la cabeza?

– Sí, pero llevaba casco… aunque ha perdido el conocimiento. El problema ha sido en una pierna…

– ¿Y no ha vuelto en sí?

– Sí, sí. Han sido unos pocos segundos. La gente nos ha ayudado. Había una enfermera que nos ha dicho que no la moviéramos, ha llamado a la ambulancia y todo. Sara ha dicho que la avisáramos a usted.

– ¿Estaba muy asustada?

– Parecía que no, porque la enfermera que le digo daba mucha confianza.

– ¿Y qué tenía en la pierna?

– Mmm… Puede que tenga roto el fémur, según decía la enfermera… y sangraba por la pierna…

Marta tomó aire mientras trataba de no perder la calma del todo.

– ¿A dónde la han llevado, Dani?

– Al hospital Vall d'Hebron. Silvia ha ido con ella en la ambulancia. Yo estoy aquí con las tres bicis y ahora viene mi padre a buscarme. Pero usted no se preocupe, que Sara es una valiente.

– Muchas gracias, Dani.

Todo puede cambiar en un momento. Y unas pocas palabras te lo hacen saber. El antes ha acabado y ahora puede que comience el después. Eso pensó Marta mientras se ponía unos zapatos, cogía algo de dinero para meterlo en el bolso y salía escaleras abajo con el abrigo en la mano, cerrando la puerta de un golpe sin cerrar con llave, sin ni siquiera esperar el ascensor, en busca de un taxi.

Se dirigía a la parada de taxis cuando vio que subía uno por el lateral de la rambla y lo cogió. Llamó a sus padres al móvil, pero lo tenían desconectado. A sus hermanas, y ninguna de las dos atendió la llamada. Claro, era domingo y estaban en la iglesia a esa hora, con los móviles sin volumen. Intentó escribir un mensaje, pero las manos le temblaban tanto que desistió. Probó si alguno de los cuñados se apercibiría de que llamaba, y tampoco tuvo suerte. Qué sola se sentía y qué asustada; y no podía llorar. Sólo quería llegar al hospital y ver a su hija, y hablarle y que ella le hablara.

El camino más rápido para ir al hospital era tomando la ronda, así que el taxista tiró por esa ruta. Pero a los pocos minutos de circular tuvieron que detenerse en medio de un atasco. Los paneles luminosos indicaban que había habido un accidente. *Otro*, pensó Marta. Había cogido un taxi (ella, en cuyo presupuesto no entraba tal posibilidad) por ganar tiempo, y hubiera llegado mucho antes en metro o en autobús. ¡Qué ironía! Lo cierto es que tardó más de una hora en salir de allí. Cuando llegó a urgencias de traumatología le informaron que Sara estaba ya en quirófano y le indicaron dónde podía esperar. Marta insistió en preguntar:

> – ¿De qué la están operando? ¿De la pierna? ¿Y el golpe en la cabeza, por favor?
> – Ya saldrá un médico a informarle de todo. Ahora vaya a la sala y espere.

Esta manera de atender en los hospitales a Marta siempre le había parecido inhumana. ¿Costaba tanto dar un poco de tranquilidad a las familias? ¿Era tan difícil ser amable en momentos tan dolorosos para otros? Sólo con que el tono de voz fuera un poco más amigable, más acogedor, mitigaría la sensación de desamparo que se sufría cuando no se sabía qué iba a ocurrir con los que amabas. Marta miró a la mujer que le había atendido con reproche. Aquélla retiró la vista y se concentró en sus cosas.

Volvió a intentar comunicar con su familia, pero nadie se había dado cuenta de sus llamadas ni al parecer había dado volumen a sus teléfonos.

Se sentó en una especie de sillón y poco a poco fue replegándose sobre sí misma, mientras murmuraba algo así como una oración:

– Dios, no me la quites. Cuídala, guárdala, por favor. No me la quites.

Y mientras repetía esas palabras se balanceaba abrazada a su bolso y a su abrigo. Sin embargo, se detuvo. Interrumpió su plegaria. Y esta vez para sí, decía: *¿A quién me estoy dirigiendo? Si todos estos años he vivido como si no existiera. Pero sé que está.* Y volvió a susurrar:

– Escúchame, por favor. Sé que estás ahí. Siempre lo he sabido. No me quites a mi Sara, te lo suplico. Protégela ahora, te lo ruego…

VII

En el hospital

Marta seguía sentada en uno de aquellos híbridos entre silla y sillón de la sala de espera de urgencias. Aún no sabía nada de Sara, pero desde hacía un rato ya la acompañaba Eva, su hermana menor. En cuanto la vio entrar y acercarse tuvo la sensación de que todo iba por buen camino, de que las cosas resultarían más sencillas a partir de ese momento en el que alguien más estaba con ella, y que ya podría repartir la carga que la abrumaba y no tendría que arrastrarla por más tiempo ella sola. Se levantó y se abrazaron.

– Gracias por venir.

– ¿Qué es lo que ha pasado? –preguntó Eva.

– Lo que te he dicho por teléfono. Lo que ocurre es que aún no me han dicho nada más: que tenía el fémur roto y que se le veía el hueso. Ya hace muchas horas que está ahí dentro. No sé.

– Todo irá bien, ya verás. Primero le habrán hecho radiografías y todo eso, y luego habrán empezado con la intervención. Más vale que los médicos se entretengan y hagan un buen trabajo con esa pierna, ¿no te parece?

– Claro, claro –respondió Marta, sin demasiado convencimiento en la voz.

– Marta, ¿te parece que oremos juntas? –Eva preguntó con prudencia, no quería imponer nada y aguardó la respuesta de su hermana mirándola a los ojos.

– Sí, por favor.

Se sentaron en los sillones, se tomaron las manos e, inclinando la cabeza y cerrando los ojos, Eva comenzó a hablar:

– Querido Señor: muchas gracias porque, a pesar de ser quienes somos, quieres ser nuestro Padre amoroso. Y te damos muchas gracias también porque siempre nos escuchas. Ahora, Señor, queremos pedirte por Sara, para que tú la cuides ahí dentro, para que dirijas las manos de los médicos que la están interviniendo, y para que nos des a todos la fortaleza necesaria para afrontar tu voluntad. Y yo te pido muy especialmente, Señor, también por Marta, que la bendigas mucho y que encuentre tu paz. Todo lo dejamos en tus manos, confiando en ti. En el nombre del Señor Jesús. Amén.
– Amén –susurró Marta.

Se soltaron las manos y Marta buscó en su bolso un pañuelo. Aún no había llorado desde que supo del accidente, pero en ese momento, con su hermana cerca, sus ojos se abrieron y sus lágrimas se soltaron por fin. Todo el miedo y el desfallecimiento que había sentido salían sin contención, entre las sonrisas y palmadas de simpatía de su hermana, y entre sus propios hipos, mocos y palabras entrecortadas que recomponían la corta historia que Dani había contado por teléfono hacía unas horas, con el añadido breve de un médico que había salido a informar con tal parquedad de palabras y sembrando tantas dudas sobre el pronóstico, que Marta casi habría preferido que no hubiera dicho nada. Y eso que no era una cuestión de vida o muerte.

Finalmente aquella tarde las noticias del equipo de cirujanos fueron buenas, y se esperaba que la pierna de Sara curara

completamente aunque, eso sí, el proceso iba a llevar unas semanas y debería hacer ejercicios de rehabilitación. Lo del golpe en la cabeza parecía que no revestiría mayor importancia, pero la mantendrían en observación unas horas para confirmarlo y quedar tranquilos.

Los amigos de Sara también estuvieron allí. Silvia, que había llegado con ella, les había dicho que tenían tiempo para ir a comer, y eso es lo que habían hecho. Marta les agradeció que hubieran estado con su hija en todo momento.

Y observó a Dani. Se dio cuenta de que el muchacho se sentía cohibido, pero pensaba que si quería un poco a Sara bien pagaría el precio de una *suegra* –o el grado que se supusiera que ella ostentara– que imponía respeto, temor o lo que fuera. Así que determinó que, si bien no pondría obstáculos de manera deliberada en su camino, tampoco allanaría el terreno para hacerlo todo demasiado sencillo. Marta era como era, y a eso había que atenerse. Ella confiaba mucho en su hija, y quizá Dani era un buen muchacho. Pero de las hormonas, ¡ay, las hormonas! De ellas no se fiaba ni un pelo, y Marta sabía que nada tenían que ver con el corazón y el alma, y que podían engañar y ayudar a malherir a cualquiera. A su hija también.

Por fin Marta pudo ver a Sara en la sala del postoperatorio. La joven permanecía medio dormida todavía por la anestesia, con el suero conectado, un catéter saliendo de la pierna vendada… pero sonriéndole a pesar de todo. Marta se sintió agradecida por su hija, por todos los años que la había tenido a su lado y por los que, si todo iba bien, aún la iba a tener.

– Mamá… –dijo Sara, con una voz cavernosa que no parecía suya.

– Hola, Sara.

Por el rostro de la chica empezaron a rodar gruesas lágrimas. Marta tomó la mano de su hija y la imitó sin querer.

– ¡Vaya par de dos! –dijo la madre.
– Sí –susurró Sara buscando con la mano libre algo con que secarse los ojos.

Aquella noche, cuando todos se marcharon, llevaron a su hija a una habitación. La otra cama estaba, por el momento, desocupada. Las enfermeras entraron y salieron cada dos o tres horas, tomando la temperatura, controlando las botellas con el suero y los antibióticos, preguntando cómo iba el dolor en la pierna. Sara estaba en un estado de semiinconsciencia. Marta la contemplaba y le daba la sensación de que había encogido, de que era más pequeña y que casi podía tomarla en brazos y llevarla a donde hiciera falta. Y a su garganta acudían los himnos de su niñez, aquellos que sus padres le cantaban a ella a modo de nanas, y tenía que contenerse para no entonarlos a esas horas intempestivas de la noche:

> *Aunque soy pequeñuelo*
> *me mira el santo Dios,*
> *Él oye desde el cielo*
> *mi humilde y tierna voz.*
> *Me ve de su alto asiento,*
> *mi nombre sabe, sí,*
> *pues cuanto pienso y siento*
> *conoce desde allí.*

Marta se sorprendió de poder recordar con toda exactitud aquella letra, mientras acariciaba el cabello negro de su hija. Se

dijo que a la mañana siguiente le supondría un arduo trabajo des-
enredar aquella larga melena que se desparramaba completamente enmarañada sobre la almohada.

Marta no durmió. No podía quitarse de la cabeza esa sensación de desprotección absoluta. En cualquier momento, sin tener
un solo indicio que avisara, sin poder prepararte para el golpe, te
caían encima situaciones que te dejaban sin poder apenas respirar,
sin poder moverte. Cuando Dani la llamó, ella sintió un pánico
helado y sólo reaccionó porque, en algún lugar de la mente, poseía
un código aprendido: "Llama aquí, ve allá". Pero no pudo llorar.
Había quedado paralizada de miedo.

Por la ventana, al lado de la cama de Sara mientras ella aún
dormía, Marta vio amanecer. Tenía los brazos cruzados sobre el
pecho, quizá en un remedo de abrazo. La ciudad que vislumbraba
desde su observatorio eventual se dejó tocar por la luz que surgió
de detrás del mar, en la línea del horizonte, tímida pero incuestionable: ahí empezaba el nuevo día. Al ir cambiando los colores y
apagándose la ronda con sus coches, las avenidas y las calles, todo
tomó el color de la vida cotidiana, ése que, a pesar del sol, queda
matizado por la bruma y la contaminación.

– Mamá, tengo sed –dijo Sara.

Aquel lunes fue extraño, como extraños son los días vividos
en los hospitales. Calmantes, cuñas, inmovilidad, aseos parciales,
intimidad escasa, comidas controladas y mucha incertidumbre. La
visita diaria de los médicos es esperada como la vista con el juez
que va a dictar sentencia.

Los abuelos se presentaron a eso de las diez, con un ramo
de pequeñas flores de colores para la accidentada. Más tarde, los

amigos de Sara, que evidentemente estaban faltando a clase. Luego María José, la compañera de Marta. Por la tarde, tías y tíos, con los primos incluidos.

Ya por la noche retiraron el suero de la mano de Sara, lo cual supuso que los medicamentos que le habían estado administrando por vía intravenosa tuvieron que ser ingeridos por vía oral. La joven protestó de la cantidad de píldoras que le hacían tomar.

– ¿Qué me dais? –preguntó Sara a la auxiliar que le trajo un vasito con diversas pastillas.
– A ver. Pues antibiótico –dijo la mujer observando el vaso–, calmante y hierro.
– ¡Vaya!
– Y algunas vas a tener que tomarlas tres veces al día, así que vete mentalizando.

Marta dio las gracias y acercó un vaso de agua.

– Mira que eres protestona –dijo cuando salió la mujer de la habitación.
– No, no es eso. Es que me duele la garganta desde ayer.
– Puede que durante la operación te pusieran alguna cánula, algún tubo –Marta hizo una pausa–. ¿De qué colores eran las pastillas que te has tomado?
– Blancas y rojas. ¿Por qué?
– Voy a explicarte una teoría que tengo… que no va a ninguna parte, ya lo sé. Descríbeme lo que te has tomado.
– Sí, capitana. Una cápsula blanca y roja –comenzó Sara.
– El antibiótico.
– Una pastilla roja.
– El hierro.

– Una pastilla blanca.

– El calmante. Has tenido suerte –valoró Marta.

– ¿Suerte? ¿Suerte en qué?

– En que te han dado pastillas de dos colores. En general, en los hospitales, las pastillas que reparten son todas blancas. Todas.

– Estás fatal, mamá.

– Puede ser. Pero fíjate por ejemplo en los abuelos, que toman tantísimas pastillas durante el día. Son de diversos colores y formas. Cuando la abuela estuvo ingresada, ¿te fijaste de qué color eran las pastillas que le dieron? ¿Te fijaste?

– ¿Blancas? –Sara miró a su madre– ¡Mamá! ¿Y a dónde te lleva tu teoría?

– A ninguna parte –dijo Marta riendo–, pero así ejercito el método experimental.

– ¿El qué?

– El método experimental: observación, recogida de datos, formulación de teorías…

– … sobre el color de las pastillas de los hospitales. Anda, mamá, vete a casa y duerme un poco, que me parece que lo necesitas.

Marta se levantó de la silla con gesto cansado pero tranquila y de buen humor. Tenía una hija estupenda que iba a recuperarse.

– Estaré aquí mañana a primera hora.

– Vete tranquila, que me cuidan todas las enfermeras… y ese enfermero de barbita tan guapo que ha venido antes.

Marta se despidió de su hija, hizo como que la arropaba y Sara se dejó hacer, y salió del hospital hacia la estación del metro.

Necesitaba una buena ducha, larga, con el agua bien caliente, y dormir en su cama.

Cuando la hospitalización es prolongada, es decir, cuando va más allá de una semana, las únicas visitas que se reciben son las de los que de verdad te quieren. En ese punto Marta tenía que admitir que Dani se estaba comportando como un caballero, pues se había personado todos los días y con algún que otro detalle: un libro, unas galletas, una flor, su mp3 lleno de canciones, revistas, una PSP llena de juegos, otro libro cuando Sara terminó el primero. Nada que objetar en ese sentido. Pero, de todos modos, Marta y Sara disponían de muchas horas a solas, cuando la madre llegaba después de trabajar y la chica ya había hecho algunos ejercicios de rehabilitación en la sala, con aparatos, y los que le mandaban para ir practicando durante el día.

Una tarde se encontraban madre e hija solas y de nuevo sin nadie en la otra cama de la habitación.

– Mamá –dijo Sara–. ¿Podrías contarme ahora la historia de mi padre?

Marta estaba poniendo orden en el pequeño armario de la habitación. Se detuvo y miró a su hija.

– Sí, ya había pensado que estando aquí encontraríamos un buen momento.

Acabó de guardar unas cosas en el neceser, cerró el armario y acercó la silla a la cama. La ventana quedaba justo detrás; no había mucho espacio en realidad.

– Sara, no sé qué habrás imaginado –comenzó con cautela–, y no sé qué te gustaría oír. Pero esto no es *la historia* de tu padre. Es una historia, y es triste. Lo fue para mí, y me temo que lo va a ser para ti. Pero yo te la cuento, no te preocupes por eso.

Sara asintió. Cuando su madre comenzó a hablar, la chica miraba las sábanas. Sabía que entraba en una parcela muy privada de su madre y le daba respeto. Sólo de vez en cuando le buscaba los ojos.

– Conocí a tu padre en la Universidad. Yo estudiaba Historia, ya lo sabes; él, Filosofía. Fue en quinto, a principios de curso. Antes duraban cinco años las carreras. Creo que él me gustó desde el primer día que le vi. Era guapo. Llevaba melena, una melena negra. Tú tienes el mismo color de su pelo, Sara. También la forma ovalada de tu cara se le parece. Los ojos no; los suyos eran marrones, casi negros; con una mirada pilla que enamoraba. Siempre estaba de buen humor. Fue en el bar de Historia, allí en Pedralbes. Iba con un grupo. Le oí tres o cuatro comentarios muy agudos que me hicieron reír. Él no intentaba llamar la atención porque sabía que la llamaba igualmente. Y yo me fijé en él.

Marta se detuvo un momento. Miró a su hija, que en ese momento la miraba fijamente esperando que continuara. Prosiguió:

– Para sorpresa mía, él se fijó en mí. En los días posteriores comenzó a involucrarme en las conversaciones del grupo, a hacerme bromas, y yo me sentía bien. Mira, Sara, yo creo que nunca había imaginado, nunca había soñado cómo debía presentarse el amor en mi vida. Pero si lo hubiera hecho, lo hubiera soñado tal como ocurrió: dulce, atento, tierno, entregado, risueño, tímido y atrevido a la vez… No sé cómo explicártelo, pero era algo así como reconocer lo que tu corazón deseaba aún sin saberlo.

Sara miraba a su madre. Marta siguió hablando:

– Me conmovía, en algún momento, verle preocupado por si yo me había mosqueado, por si algo de lo que había dicho o hecho me había sentado mal. Hablábamos mucho; de nosotros, de cómo nos queríamos, pero de mil otras cosas también: de política, de ciencia, de historia y de filosofía, por supuesto. Su amistad me enriquecía. Creo que los dos crecimos mientras estuvimos juntos. Y también reímos un montón. No discutíamos, Sara. Cuando ya se empieza discutiendo, es un muy mal comienzo. Por lo menos al principio hay que ser absolutamente feliz… o casi, te diría yo.

Marta respiró hondo y Sara notó que le costaba continuar:

– Yo estaba borracha, entre otras cosas, de soberbia. Y te lo digo en primer lugar, porque quizá ése ha sido, te lo confieso, uno de mis principales defectos. Muchas veces lo he pensado, y es eso lo que pasa también en la juventud, que crees que te lo mereces todo y que tú, por guapa, o por lista, o por ser más que nadie, lo vas a tener. Sara, tú sabrás, o imaginarás por lo menos, cómo me educaron los abuelos, ¿verdad?

Sara asintió, con la mirada expectante.

— Pues yo sabía que con el corazón no se juega, y que el amor, el de verdad, nunca es sólo un *te quiero* dicho en un momento de apasionamiento. También sabía, ya entonces, que el amor del bueno dura para siempre y es el que supera las pruebas. Dio igual, porque actué como si no hubiera estado advertida de nada. Estaba borracha de soberbia: "*Yo sé más que los carcamales de mis padres y que el libro viejo de donde sacan su moral*", me decía, y borracha de emociones y hormonas en acción que no me dejaron pensar con claridad y ser un poco prudente.

Sara escuchaba muy atenta.

— Lo cierto es que los besos y las cosquillas llevaron a las caricias, y luego ya no quisimos (porque sí pudimos, siempre se puede) parar. Tomamos precauciones, por supuesto, pero algo falló y me quedé embarazada. Ya sabía yo, el corazón a veces te lo dice, que todo iba demasiado deprisa; él también, me parece. Seguramente estropeamos algo que hubiera podido ser hermoso.

Marta negaba con la cabeza, mientras que con una mano se tapó la boca un momento. Siguió:

— Era a finales de mayo. Una tarde, después de haber estado juntos, finalmente le dije que estaba embarazada. Nos veíamos prácticamente cada día, pero tardé una semana en decírselo. Tenía miedo. Él se quedó rígido, y su expresión se volvió dura como una piedra. Creo que se sintió *agredido*. Entonces me dijo: "*Vas a abortar, claro*". No me abrazó, no me dijo *todo se arreglará*, no me besó dulcemente. Yo no dije nada, porque no reconocía a quien me estaba hablando. *Tienes que abortar, ¿me oyes?*

Marta no estaba en ese momento en la habitación del hospital. Estaba en ese otro lugar donde todavía resonaban las palabras del muchacho.

– *Marta* –me dijo, sacudiéndome por los hombros–. *No puedes tener esa criatura.* Ya no era *podemos*, era sólo cosa mía. *Tienes que abortar, ¿comprendes? ¡Tienes que abortar!* –Marta respiró hondo, parpadeó con fuerza y prosiguió–. Me hizo daño con su grito final acompañado de una última sacudida. Pero ya me había roto el corazón unos instantes antes. Cogí mis cosas, me arreglé y salí. Quedaban cinco o seis semanas entre clases y exámenes. Él sabía dónde podía encontrarme y no me buscó.

Marta volvió a la realidad. Estaba contando aquel doloroso relato a su hija.

– ¿Sabes qué es lo más triste? Que creo que sí que me quería –Marta negaba con la cabeza, con una sonrisa tristísima en los labios– pero se quería más a él. El amor verdadero no es así, claro que no, es el que se entrega en favor del otro, a pesar y más allá de uno mismo. Él fue egoísta, cobarde, o las dos cosas. Y huyó.

Marta se detuvo. No añadió nada más, ni una palabra para describir lo que sintió de engaño, abandono y traición. Lo hubiera podido intentar, pero no hubiera conseguido expresar lo que sentía y su hija tampoco lo hubiera comprendido. No ahora.

– Por cierto, que esta clase de amor que se entrega, que te la expliquen bien los abuelos o las tías, que viene en la Biblia. Existe, es el que hay que buscar, que perseguir, que cultivar.

Creo que se parece mucho al amor sacrificado de una madre por sus hijos.

Marta calló, y Sara se dio cuenta de que no iba a seguir.

—¿Y ya está?
—Ya está.

Sara se quedó pensando un momento.

—Mamá, ¿y nunca has sabido nada más de él? ¿Nunca se ha puesto en contacto contigo?
—No, lo siento, Sara. Nunca.

La expresión de Sara demostraba que ella había imaginado una historia un poco más feliz en algún punto.

—¿Puedo preguntarte una cosa, mamá?

Marta asintió.

—¿Cómo se llamaba mi padre?

Marta suspiró.

—Sergi.
—Sergi, ¿qué más? ¿Qué apellidos tenía?
—Dalmau Blasi.
—¿De dónde era? —siguió inquiriendo Sara.
—De aquí, de Barcelona. Vivía en el barrio de Gracia.
—Mamá, ¿de verdad que nunca has sabido nada más de él? —Sara se detuvo un momento y añadió— ¿No has visto su nombre escrito por casualidad en algún lado?

– No, nunca, Sara. Y para mí ha sido mucho mejor.

La chica, que había estado sentada en la cama y en vilo durante todo el rato, se recostó en la almohada y cerró los ojos. Marta se levantó y fue al baño, a refrescarse la cara.

– Sara, ahora voy a ir a la máquina de bebidas a por agua; si quieres te traigo algo. Y, cuando tengas ganas, puedo contarte otra parte de la historia, de *tu historia*. Ésa sí es hermosa, ya verás.
– Vale.
– ¿Te traigo algo, entonces?
– No, no quiero nada. Creo que voy a dormir.

Marta sabía que Sara no iba a dormir. Lo que había escuchado aun sin apenas detalles, casi con toda seguridad le había hecho daño. Ella conocía a su hija y ahora Sara necesitaba estar sola. Debía reelaborar la historia y ella rellenaría con más o menos imaginación las lagunas. Pero lo que le dolería es haber sido rechazada ya de entrada. Se puede estar impregnada del sentir general de que abortar no tiene importancia, de que interrumpir un embarazo no tiene nada que ver con bebés. Pero Sara estaría sintiendo en ese momento que el que tenía que haberla protegido y cuidado desde entonces y hasta el día de hoy, lo primero que había dicho era que había que deshacerse de ella. Eso es lo que le diría el sentido común a su hija y, con toda razón, la haría llorar.

Marta bajó por las escaleras hasta la calle. Decidió ir a comprar el agua al bar del complejo sanitario. Ya oscurecía. Hacía frío y viento, y no había cogido el abrigo, pero de todas formas pasó de largo por la puerta para situarse en el lugar desde el que tenía una mejor vista de la ciudad. La ronda. La montaña del Carmel. Las

torres *gemelas* allá en el mar. Las tres chimeneas de Sant Adrià. Montjuic y el Pirulí. Y las minúsculas luces de las casas. ¡Cuántas pequeñas historias, como la suya misma, se guardaban en cada piso! Cuántas aún más tristes, más desgraciadas, llenas quizá de enfermedad o tragedia, de soledad, de miseria. Marta comenzó a tiritar, así que se apresuró a entrar en el bar y se tomó un café con leche bien caliente, descafeinado, eso sí, para no dar ocasión al insomnio. Sentada al lado de la inmensa cristalera, podía contemplar también el panorama. Desde aquella perspectiva se apreciaba la insignificancia de cada pena, incluso de todas las penas juntas. Pensó en Sara y decidió volver a la habitación.

El viento arreciaba por momentos, y cruzar desde el bar hasta la entrada del pabellón no fue nada sencillo. Para subir sí que tomó el ascensor, y al acercarse escuchó la voz de su hermana Raquel.

– ¡Hola, Raquel!
– ¡Hola, Marta! Chica, yo no sé qué tratamiento siguen aquí, pero cuando he llegado me he encontrado a Sara hecha un mar de lágrimas –Raquel pasaba la mano cariñosamente por la melena de su sobrina.
– Le he dicho lo que me has contado, mamá.
– Está bien, hija. Entre otras cosas, porque para eso tenemos a las tías, para escuchar a las sobrinas cuando las madres no están –dijo Marta con gratitud en los ojos mientras se sentaba a los pies de la cama con mucho cuidado.
– Me decía Sara –continuó Raquel– que lo que le dolía es que su padre no quisiera saber nada de ella nunca, que no le importara nada de nada.
– Puede ocurrir que la vida sea dura en algunos momentos –añadió Marta–. Por ejemplo, el accidente. Por ejemplo, no tener padre… Pero Sara, hija mía, ¡tú has tenido tantas cosas buenas, pero tantas!

– En ese punto estábamos cuando has llegado –intervino Raquel de nuevo–. Lo más importante es que tú has sido una niña a la que han querido mucho, y no sólo tu madre, que luchó por ti desde el principio y todos estos años. Tienes que saber que los abuelos y la tía Eva y yo misma te hemos querido con todo el cariño con que se puede querer a alguien. Como a una hermanita primero, como a una hija después. Quizá ahora hablo por mí. Y la demostración está en algo que tú no sabes, porque no se ve.

– ¿Tú te acuerdas, Sara –terció Marta–, de cuando vivíamos con los abuelos y las tías?

– Sí, hasta los cuatro o cinco años, ¿no?

– Eso. Al aprobar las oposiciones y tener ya un trabajo fijo, decidí que nos íbamos a vivir tú y yo juntas, como una familia, y los abuelos me ayudaron con la entrada del piso. Pues a lo que voy: no te imaginas el disgusto que se llevaron Eva y Raquel cuando les dijimos que nos marchábamos de casa.

– Yo me acuerdo –dijo Raquel– que sólo le poníamos problemas: ¿quién te cuidará la niña si se pone mala? ¿quién te hará de *canguro* allí tan lejos? ¿cuándo la veremos? ¿quién jugará con ella?

– No lo sabía… –dijo Sara.

– Pero que te queremos sí lo sabías, ¿no? –preguntó Raquel.

– ¡Pues claro!

– La verdad es que se pusieron pesaditas –aclaró Marta–, y no se las veía muy entusiasmadas con mi mudanza.

– Cuando tu madre se quedó embarazada, tanto Eva como yo nos quedamos un poco desconcertadas. No ignorábamos que las cosas no debían ir así y no sabíamos cómo actuar. Entonces el abuelo nos dijo: "*¿Sabéis lo que tenéis que hacer? Quererla mucho*". Y a Marta ya la queríamos desde siempre, así que

no era tan difícil. Nos parecía raro verle crecer la barriga de aquella manera, eso sí; pero notarte dentro moviéndote, Sara, era constatar el milagro de una nueva vida, no sé cómo decirlo, que se nos regalaba a todos. En realidad era estupendo.

– Bueno, era otra manera de verlo –dijo Marta.

– Te compramos ropita –siguió Raquel–, juguetes, *potitos*, baberos, con un cariño que creo que no puedes ni imaginar. Y luego te hemos seguido queriendo.

– Pero, ¿qué es eso que has dicho que no se ve y que es una prueba irrefutable? –preguntó Sara.

– ¿Has visto cómo habla? –dijo Marta mirando a su hermana.

– Desde luego, porque yo no he dicho *irrefutable*, y creo que *prueba* tampoco –puntualizó Raquel.

– Esto le pasa desde que forma parte de un equipo de investigación que se ocupa de descifrar un texto encriptado cuyo contenido afectará los destinos de la humanidad. Y puede que la anestesia y los calmantes también hayan tenido algo que ver –bromeó Marta.

– Mamá, no te burles, que es muy serio

– No me burlo, hija, no me burlo.

– Mamá, dile que tenemos a tu erudito estudiando el tema.

– ¿*Tu* erudito? ¿Qué erudito? –preguntó verdaderamente interesada Raquel.

– Oh, venga, por favor; no nos desviemos del tema –Marta hacía gestos a su hija de que le daría una paliza–. Proporciónale la prueba irrefutable a la niña.

Raquel miró a su sobrina, y Sara se encogió de hombros casi imperceptiblemente.

– Bueno, qué. ¿Le vas da dar la prueba definitiva o no? –insistió Marta, queriendo evitar que la conversación tomara un rumbo que ella no deseaba.

Raquel miró primero a Marta, pero luego fijó sus ojos en su sobrina. Y comenzó a hablar:

– Sara, lo que te he dicho hace un momento tiene que ver con el cariño que te tenemos, pero que no se ve. En realidad, y ahora quizá te sorprendas, se trata de palabras. Puedes pensar: *¿Sólo palabras? ¿De qué me estás hablando?* Desde antes de nacer tú, desde el día mismo en que supimos que existías, un montón de palabras se elevaron hasta el cielo en tu favor, pidiendo por ti, por tu desarrollo, por tu salud, por tu vida entera. Desde entonces cada día, todos y cada uno de los días de tu vida, los que te queremos hemos intercedido con palabras de súplica en tu favor delante de Dios, pidiendo su protección para ti, su bendición, su guía. También hemos dado gracias por haberte conocido, por la alegría que nos has dado, porque eres un regalo para nuestra familia. Cada día, Sara, nos acordamos de ti en nuestras oraciones.

Raquel no pudo continuar porque se le hizo un nudo en la garganta; a Marta le caían las lágrimas y buscaba algún pañuelo en los bolsillos del pantalón, y Sara se tapó la cara con las manos mientras lloraba sentada en la cama.

– ¿Se puede saber qué está ocurriendo aquí? –era la abuela que entraba en la habitación.

Raquel sacó pañuelos de papel de su bolso y comenzó a repartirlos, mientras todas comenzaron a reír.

– ¡Yo también quiero uno! –dijo la abuela, que se ocupaba en besar a cada una, abrazándola más fuerte y más tiempo de lo que solía.

– ¿Me he perdido algo? –preguntó el abuelo desde la puerta, viendo el panorama.

– ¿Tú traes pañuelos? –preguntó Raquel–. Porque si no, no te lo vamos a contar, que te conocemos…

VIII

En la cafetería

El viento fue tan intenso durante aquella noche que, por la mañana, las últimas hojas de todos los árboles se encontraban cubriendo los arbustos de los jardines, las motocicletas aparcadas y algunos de los coches pequeños, e intentándolo con los vehículos más grandes y con los bajos de los edificios. La calma, sin embargo, impresionaba. No se movía nada a esa hora en la que Marta se dirigía, como cada día, al trabajo.

Durante la mañana, y después de conversar con María José, que le preguntó cómo se encontraba Sara, se acordó de Enrique Alonso y de que había quedado en enviarle una copia del texto. Con tanto trajín en los últimos días, se le había pasado. Ya se había celebrado el Congreso Evangélico y ella había dejado escapar, seguramente, una oportunidad de ver a *su erudito*. Sonreía. *Qué tonta. Realmente estoy fatal, pero nadie sabe dónde debería basar su argumentación al respecto,* se decía. Se preguntaba si en realidad quería verle. Y se contestaba que sí, que por qué no. Que hacía muchísimo tiempo que nadie era tan atento con ella en tan pocos minutos. Quizá era que su círculo de relaciones se encontraba entre gente educada de otra manera, que no tomaba en cuenta las fórmulas de urbanidad clásicas. Y bien pudiera ser también que para Enrique Alonso la galantería no significara nada en especial. Sin embargo, ella había podido observarle de cerca y mirarle a los ojos, y había tenido una especie de pálpito. ¡Menos mal que Sara no podía escuchar sus pensamientos! Sí, había tenido un pálpito bueno. Porque Marta le había visto ponerse colorado… y eso le había llegado directo al corazón. Y porque hacía *miles de años* que nadie, estando colorado o no, se aproximaba a su silla, la apartaba y esperaba a que ella se sentara, acercándola cuidadosamente después hacia la mesa.

Marta se daba cuenta de que en esos momentos todas aquellas sensaciones estaban tomando forma de palabras en su cabeza, y decidió parar. Primero porque estaba en el trabajo y, entre unas cosas y otras, llevaba ya algunos días a medio gas. Segundo, porque tenía cuarenta y un años y estaba razonando como la adolescente de su hija, con pálpitos incluidos. Y tercero, porque ilusionarse demasiado no era bueno, y ella temía llegar al *demasiado*, pues se sentía frágil y vulnerable desde hacía un tiempo.

A la hora del desayuno decidió acercarse a los grandes almacenes. Era lo bueno de trabajar en el centro de la ciudad, todo quedaba cerca, todo estaba a menos de cuatro o cinco calles: las grandes librerías, las tiendas especializadas, muchos supermercados, las tiendas de moda, los mejores restaurantes, todo. Una breve visita quizá le daría alguna idea de qué regalos podría comprar esa Navidad para la familia, ya que ese año iba muy despistada. Cruzó la plaza Cataluña y se conmovió al ver a un hombre oriental, quizá chino, de unos cuarenta años, con una bolsa de arroz, dando de comer a las palomas. Marta recordaba haber venido de pequeña con sus padres y hermanas, y haber comprado una especie de bolitas marrones para echarles a las dueñas eternas de esa plaza. Y la impresión que guardaba era que allí siempre era domingo. Y en ese domingo permanente de su memoria, lucía un sol blanco y brillante, las tres hermanas llevaban sus gruesos abrigos antiguos, leotardos y gorros de lana.

Entró en el centro comercial por la puerta del chaflán, y el aire caliente de la calefacción a toda potencia le dio de lleno en la cara. El personal que vigilaba las entradas estaba disfrazado de Papá Noel de pacotilla y sonaba música navideña por los altavoces.

Todo fue bien para Marta mientras lo que escuchó fueron villancicos. Pero, en un momento dado, la música cambió a himnos. Era instrumental, pero ella conocía las letras. *¿Cómo puede ser que últimamente lo recuerde todo?* Trató de concentrarse en los aparadores, pero no pudo. *"Oh, pequeña aldea de Belén, afortunada tú, pues en tus campos brilla hoy la eterna Luz…"*. Y como un rayo que ilumina un instante y permite ver aun en medio de la noche, a Marta le fue dado contemplar a sus padres cantando, a sus hermanas poniendo la mesa en Nochebuena, al coro de jóvenes de la iglesia preparando la Cantata Especial de Navidad.

Salió a la calle en dirección a la oficina. *¿Cómo puede ser que esté llorando otra vez? Pero, ¿esto qué es?* Se preguntaba si lo que no había llorado en veinte años iba a llorarlo ahora, concentrado en unos pocos meses. O si había comenzado a llorar y ya nunca más podría detener el llanto. *Yo soy fuerte, superaré esta crisis de flaqueza.* Quizá todo se debía a las circunstancias casi extenuantes de los últimos días; o podía muy bien ser el comienzo de un nuevo cambio hormonal. Pero también cabía la posibilidad de que se tratara de la desesperación de saber a ciencia cierta que no se tiene nada, que no se posee nada; que conservar incluso lo más preciado no depende en ningún modo de uno mismo; y que llenar de cosas vanas una vida, intentando creer que tiene significado, lleva más tarde o más temprano pero sin remedio, a una profunda frustración. Su sentido del humor bien podía ayudarla, como siempre, a salir adelante, pero no estaba segura de querer seguir engañándose por más tiempo.

Al llegar al hospital aquella tarde, Sara la estaba esperando.

– Mamá, ¿podrás contarme hoy la continuación de la historia?
– Claro –Marta suspiró sonoramente.

Necesitaba hacer acopio de fuerzas para explicar las cosas con la alegría con que quería contarlas. Porque, en realidad, el tramo del relato que se iniciaba constituía la parte bella de la narración. Se quitó el abrigo y lo dejó a los pies de la cama, colocó el bolso en el suelo, mientras Sara no le quitaba los ojos de encima. Fue a sentarse en la silla. Entonces Marta miró a su hija y vio que, ciertamente, estaba esperando que comenzase.

– ¿Ahora, ya?
– Sí, mamá, por favor. Llevo todo el día esperándote.
– De acuerdo, de acuerdo.
– Mamá, ¿por qué… por qué no te deshiciste de mí?

Marta miró con ternura a su hija.

– Porque a los bebés no se les mata. Aunque sean chiquititos. Aunque sólo pueda vérseles al microscopio.

Sara se quedó asimilando la respuesta.

– ¿No tuviste miedo, mamá? No sé, ¿nadie iba a criticarte? ¿O quizá tenías otros planes de trabajo después de acabar la carrera?
– Si te digo la verdad, lo peor fue el terrible chasco que me llevé con tu padre. Lo demás, aunque era difícil, no me parecía insuperable.

Marta calló y Sara esperó.

– Tenía una amiga en aquellos días, se llamaba Merche, era
de mi clase, que cuando supo lo que ocurría me abrazó y me
dijo: *¿Quieres abortar, Marta? Yo puedo acompañarte a Londres o adonde sea. Yo lo arreglo todo para que tú no te preocupes.*
¡Me miraba con unos ojos tan tristes! Estábamos sentadas
en un pequeño muro en el *C*ampus de la Facultad. Yo negué
con la cabeza. *Pero, ¿cómo vas a salir adelante tú sola con una
criatura?* Y recuerdo que entonces se me encendió la bom-
billa, porque le respondí: *Yo no estoy sola, Merche; yo tengo a
mis padres.* Ella me volvió a abrazar. Luego, después de todo
aquello, he pensado que mi amiga seguramente tampoco
hubiera abortado de haberse encontrado en una situación
como la mía. Pero quería mostrarme su apoyo en esos momentos difíciles incluso violentándose ella misma.

Marta siguió explicándole a Sara lo que había ocurrido die-
cinueve años atrás:

– Pasé vergüenza, por mí y por mis padres; mucha vergüenza.
Y yo era orgullosa. Quizá lo soy todavía. Pasé vergüenza
por mí, porque me decía: *Esto no tenía que haberte ocurrido,
Marta.* Pero más por mis padres, porque no se lo merecían.
Me habían criado con cariño y con unos valores que son
buenos. ¿Sabes lo que sucedió cuando se supo que yo estaba
embarazada? Que empezaron a criticarles *a ellos.* ¡Me pareció tan injusto! Yo tenía veintidós años. En fin, que ya era
mayorcita y decidía por mí misma. Pues bien, hubo algunos
que se ensañaron con ellos. No sé si alguien vino a darles
apoyo. A mí no, desde luego. Les vi a todos como a unos
hipócritas. Quizá me precipité. Pero antes de que me tra-
taran como a una apestada, yo me alejé. Del todo. No les di
ocasión. Supongo que también era que me sentía mal conmigo misma, no sé. Mis hermanas y mis padres me dieron

todo el cariño que necesitaba en los primeros momentos, que era cuando tenía que hacerme a la idea de que mi vida cambiaba radicalmente, y que iba a estar más sola de lo que sería de desear para afrontarla.

Marta miró a Sara. Sabía que aunque comprendiera las palabras le sería difícil abarcar la fuerza de su resolución, o la ira que sintió en aquellos días, o las inquietudes y temores que la asaltaban por las noches, cuando pasaba horas y horas llorando sin hacer ruido, procurando dejar dormir a todos.

– Uno de los días de consulta en el hospital, a principios de aquel verano, cuando todavía no se me notaba la barriga, el médico me hizo acostar en la camilla y le dijo a la enfermera que preparara el *altavoz*. Yo no sabía a qué se refería. Y entonces fue cuando te percibí, Sara, verdaderamente. El doctor sostenía una especie de micrófono, supongo, en una mano, mientras con la otra localizaba dónde estabas. Y te encontró. Comencé a escuchar tu corazón como una locomotora que va a toda máquina, armando un gran escándalo ahí en la consulta, por si alguien dudaba de que estabas allí, y que venías a la vida sin detenerte. *¿Oyes el corazón de tu bebé?* –dijo el médico después de escuchar durante unos largos segundos–. *Es un corazón sano y fuerte.* Y a mí se me saltaron las lágrimas. *¡Pero bueno! ¡Si tenemos aquí a una mamá llorona!* La enfermera me sonrió, me acercó un pañuelo de papel y me dijo: *Llora, chica. Que llorar por esto es lo mejor del mundo.* Aquel día salí del hospital con la certeza de que tú eras *alguien*. Y el médico me había llamado *mamá* por primera vez.

Marta se paró, valorando qué iba a contar a continuación.

– Sigue mamá, por favor.
– Y al final, naciste.

– ¡Oh, venga, mamá, no seas mala! Cuéntame más cosas.

– De acuerdo, pero porque eres tú. Que si no pareccría aquello de que las mujeres cuentan sus embarazos y sus partos, y los hombres la *mili*. Bien, los de mi edad, que la vida ha cambiado mucho desde entonces y ya no hay *mili;* ni quizá lo más importante que les ocurre a las mujeres sea tener hijos, ya lo sé.

– Mamá, por favor…

– Vale, vale. Lo cierto es que me sentía sola a pesar de todo. Los cambios que ocurrían en mi cuerpo me impresionaban en el sentido de que era maravilloso que la maquinaria se pusiera a funcionar sola para prepararlo todo para ti. Pero me sobrecogía que las cosas sucedieran a pesar de mí, lo mismo que se desencadenaría el parto. ¡Aunque menos mal que el organismo sabía lo que había que hacer, que con lo despistada que soy, seguro que me hubiera dejado algo! Lo cierto es que todo iba aconteciendo y yo era una simple espectadora. Eran sensaciones extrañas.

Marta sonrió. Sabía que Sara no entendía nada.

– También me daba miedo el momento de dar a luz. Tantos gritos en las películas no ayudan mucho, la verdad. Yo temía que ese momento sería como cuando tenía un examen en la Universidad. Mi madre me relevaba de las tareas domésticas del día, incluso de las de los días anteriores, para que pudiera estudiar. En las oraciones familiares se rogaba por mi prueba. A mis hermanas se les mandaba no hacer ruido. Pero al examen iba yo sola. Eso me parecía que iba a ser.

Sara vio que su madre callaba otra vez.

– Lo haces adrede, ¿no?

Marta disfrutaba.

– ¿Y? ¡Venga, mamá!
– Pensé que era una buena señal que pasara la fecha previs-
   ta para tu nacimiento y siguieras ahí dentro, conmigo. *Eso
   es que nos llevaremos bien, que está a gusto en mi compañía.*
   Cuando llegó el día, tuve los dolores que dan las contrac-
   ciones, pero no di ni un solo grito. O no lo necesitaba o
   me daba vergüenza, no sé. Una doctora me dijo: *Venga, un
   último empujón,* y entonces te oí llorar. Ya estabas aquí. Te
   hicieron un rápido test que hacen a los recién nacidos y,
   como estabas estupenda, te pusieron en mi pecho.
– Yo he visto las fotos de recién nacida.
– A mí me parecías preciosa, sobre todo después de lo que
   me había costado sacarte. Pero tu tía Eva, supongo que
   mucho más objetiva que yo, en cuanto te vio, dijo: *Se parece
   a E.T.* En fin.

Las dos echaron a reír.

– En ese momento mismo creo que me cayeron encima, de
   un solo golpe, diez años. Mis compañeras de la Facultad
   seguían con sus juegos, sus naderías –eso pensaba en aquellos momentos– ¡y yo debía comenzar a decidir cosas por
   ti! ¿Sabes que me parecía una tremenda responsabilidad
   ponerte un nombre? ¡Que te lo diga tu abuelo! Fue a ins-
   cribirte el último día de plazo, después de suplicarme que
   me decidiera de una vez y que le dijera algo. *Sara, princesa.*
   No escogí mal del todo, ¿eh? Si no fuera porque en aquel
   momento hubo una especie de epidemia de *Saras…*

– A mí me gusta mi nombre, mamá. Además, no hay tanta
   gente que se llame Sara Bosch Deluna.

– Una cosa más, hija. ¿Te acuerdas de cuando fuimos a la Vall d'Aran, y después de subir y subir con el coche por una carretera de curvas muy empinada, al llegar arriba había unos prados verdes y ondulados? Allí encontramos caballos, riachuelos, aquellas hermosas flores azules y un camino que era como un paseo que conducía a unas casitas de madera preciosas. ¿Lo recuerdas? –Sara movió afirmativamente la cabeza–. Cuando me quedé embarazada me pareció que comenzaba una dura escalada hasta la cima de una altísima montaña. En cuanto te tuve en mis brazos me di cuenta de que había llegado a un suave y extenso prado lleno de florecillas de colores.

La tarde siguió tranquila y a Marta le pareció que el poco original relato de su pequeña historia había surtido en su hija el efecto milagroso de comenzar a reconciliarla consigo misma y con la vida.

Al salir del hospital aquella noche, la luna asomaba por detrás del mar, a la izquierda del Carmel. En esos momentos su color era anaranjado, casi rojo, y su tamaño cinco o seis veces mayor que cuando ya alcanzaba un poco más de altura en su recorrido. Cuando Sara era pequeña, si la luna llena salía relativamente temprano en verano, Marta preparaba bocadillos y bebida, y tomaban el autobús para verla aparecer desde la playa: un puntito de luz primero, luego una pequeña línea naranja, en unos instantes un gajo de fuego y, sin apenas darse cuenta, ahí la tenían, enorme y entera, pintando el agua, sonriéndoles para darles las buenas noches. Contemplaban el espectáculo en silencio y luego regresaban contentas, convencidas de haber sido testigos de una gran maravilla.

Marta siguió caminando en dirección al metro y, sin saber por qué, o quizá al hilo de la maravilla, le vino a la mente un artículo que había leído sobre los aminoácidos, la base de la vida, y el orden de sus componentes, que eran algo así como letras y que formaban palabras que tenían sentido de una manera pero no de otra. Y a continuación, y por lo de las letras y las palabras, se acordó de algo que a veces contaba su padre: *Nadie podría creer que, por casualidad, un monito tecleando en una máquina de escribir* –el cuento no era de la época de los ordenadores, constató Marta–, *por más años, millones de años incluso, que estuviera dándole a las teclas, pudiera salirle El Quijote. Nadie podría creerlo.*

Evidentemente, nadie lo creería. Marta se detuvo en el andén. Había contestado. Y es que tenía la sensación de que alguien distinto de ella le estaba hablando en la cabeza. *Esta noche me tomo dos pastillas de valeriana y a dormir como un lirón.*

No. Primero envío un correo a Enrique Alonso y luego a dormir. Eso mismo. Cuando llegó el tren subió y procuró distraerse con el libro que llevaba en el bolso.

Ya en casa, mientras cenaba y preparaba las cosas para el día siguiente, Marta estuvo pensando qué le diría a Enrique Alonso y en qué términos, procurando hacer una buena elección de las palabras. Finalmente escribió:

Título: Texto indescifrable-Barcelona

Apreciado Enrique:

Deseo que te encuentres bien.
Perdona que haya tardado en escribirte. Hoy no te envío todavía la página del texto escaneada, aunque voy a hacerlo, porque se me olvidó completamente el tema. Hace dos semanas

mi hija sufrió un accidente, aunque se está recuperando bien. Ella iba en bicicleta con unos amigos y un coche la atropelló, causándole una lesión en una pierna que requirió una intervención quirúrgica. Después se produjo una infección que a día de hoy no está controlada del todo y se encuentra todavía en el hospital. Aún tendrá que permanecer allí igual un par de semanas más antes de que le den el alta y volvamos poco a poco a la vida normal, ya que sigue con algo de fiebre y quieren asegurarse de que todo está bien. En cuanto mi hija esté aquí le diré que le pida a alguno de sus amigos que haga la copia del escrito para poder enviártela.

Muchas gracias por tu interés en este tema.

Hasta pronto,
Marta Bosch Deluna

A los cinco minutos, mientras Marta intentaba poner un poco de orden en aquella bandeja de entrada de su buzón de correo que tenía un tanto abandonada, recibió la respuesta de Enrique Alonso.

Re: Texto indescifrable-Barcelona

Querida Marta:

Qué alegría tener noticias tuyas y saber que Dios ha guardado a tu hija en el accidente. Deseo de todo corazón que se recupere totalmente y cuanto antes, mejor.

En cuanto al tema del escrito, no te preocupes en absoluto, envíamelo cuando te vaya bien, que yo estaré encantado de lidiar con el misterio.

Quedo a tu disposición. Cuídate.

Un beso,
Enrique Alonso

Marta leyó el correo y lo volvió a leer, y aún una vez más, y se quedó con que don Enrique, el caballero que se ponía colorado, la llamaba *querida* y le mandaba un beso electrónico. Y eso fue suficiente para apagar el ordenador con serenidad, expulsando el aire que tenía retenido en los pulmones desde hacía muchas horas, o quizá muchos días, e inspirar después con fuerza y relajadamente. ¿Todo eso podían conseguir unas simples palabras cariñosas en medio de un correo casi formal? Todo eso y seguramente mucho más.

Sara salió del hospital un jueves y le pidió a su tío Juan Carlos, que fue quien vino a recogerla con el coche, que la llevara a casa cruzando la ciudad, y no por la ronda, que tenía ganas de ver las luces que habían puesto en las calles.

– ¡Pero si es de día, Sara! No vas a ver nada –le dijo Juan Carlos mientras le daba al intermitente y salía de delante de la puerta de traumatología.
– Ya lo sé, pero es que me parece que esta Navidad no voy a poder pasear mucho de noche por las calles iluminadas. Por lo menos veré qué dibujos han colgado.
– Oye, ¿no tienes un tío estupendo, con un coche no tan estupendo pero que rueda, y que puede llevarte de paseo? Tú pide por esa boquita y ya lo arreglaremos. Por cierto, que seguro que tus primos se apuntan, ya te lo digo yo.
– Estaría bien, gracias –dijo Sara–. Aunque ahora que lo pienso, me parece que las luces ya estaban colgadas desde principios de noviembre, o incluso antes.
– Sí –intervino Marta–. Y creo que las encendieron a finales de ese mes; ni siquiera esperaron a diciembre.
– No tiene gracia… –dijo Sara, con desencanto en la voz– No es Navidad todo el tiempo. Así se pierde lo que tiene de especial.
– ¿Has oído hablar del consumismo y los intereses comerciales?

Entre estas y otras reflexiones llegaron a casa, y Sara, con la ayuda de una de sus muletas, su madre y la barandilla, salvó con mucha dificultad los ocho escalones previos al ascensor y, por fin, entró y se sentó en el sofá.

– ¡Pues sí que llevamos unas intenciones de trabajo frenéticas, hija! –bromeó Marta.
– Ay, mamá, estoy agotada…
– No va a colar, Sara. Ahí te he dejado los platos por lavar desde el día que te fuiste, tienes que pasar la fregona al piso, y limpiar los cristales y las cortinas. Hay que dejar esto reluciente, que se acerca Navidad…
– Mira que eres cruel, mamá.

Pero Marta se acercó, ayudó a su hija a quitarse la cazadora, pensaron dónde podrían quedar mejor recogidas las muletas, y le dijeron a Juan Carlos dónde podía dejar el exiguo equipaje del hospital.

– Botones –dijo Marta–, déjelo junto al mueble bar. Gracias.
– Ya veo que aquí no me tomáis en serio, así que me voy, chicas.
– Eh, gracias por todo, chófer –siguió Marta.
– No, si lo que yo digo –murmuró Juan Carlos.
– Ahora en serio: gracias por traernos y por las atenciones de todos estos días.
– ¡No hay de qué! Venga, un beso a mi sobrina mayor preferida…

Cuando Marta llegó del trabajo al día siguiente encontró la casa invadida: el equipo de investigación en pleno y Dani estaban allí, calentando pizzas en el horno, con la mesa no sólo preparada sino decorada con velas, servilletas de colores y copas de fiesta. La voz de Sara sonó llena de alegría:

– ¡Hola, mamá! ¡Han venido a celebrar que ya he salido del
hospital!
– Muy bien, Sara –dijo Marta, mientras le daba un beso–. Es
una buena idea. ¡Hola a todos!

Fue a su habitación a dejar las cosas y se puso las zapatillas.
No cometió el error de ponerse la bata de invierno, pero sí se recogió el pelo en una cola para meterse en la cocina. Cuando entró
vio que los amigos de su hija se habían esmerado con la fiesta:
aceitunas verdes y negras, tacos de queso, *fuet*, patatas, taquitos
de jamón, berberechos, espárragos con mayonesa, corazones de
alcachofa… Marta se sintió feliz.

– ¡Pero bueno! ¡Vaya celebración por todo lo alto!
– ¡Su hija lo merece, Marta! –dijo Dani, asomando por la
puerta.
– ¡Claro! Mmm… Por cierto, Dani, háblame de tú, ¿vale?
Que con el usted me parece que me caen un montón de
años más encima y no sé si puedo permitírmelo a estas alturas –rogó Marta.
– *Ok*, dalo por hecho. Bueno, ¿comemos o qué? –dijo Dani, al
tiempo que se volvía al comedor.

Después de la comida los jóvenes se pusieron a trabajar
en un rompecabezas de mil quinientas piezas que le habían
regalado a Sara para que se entretuviese, si quería, durante
su convalecencia. Era la fotografía de unos caballos salvajes
galopando por un paisaje nevado. Mucho blanco de la nieve y
mucho azul del cielo. Aquello podía ocuparles perfectamente
todas las vacaciones de Navidad. Comenzaron separando las
piezas por colores.

Marta les oía desde la cocina. Le gustaba escucharles hablar, reír, meterse los unos con los otros. *¡Dichosa juventud!*, hubiera dicho su madre. Y era cierto. A última hora de la tarde se pusieron a ver fotos y vídeos en el ordenador, y era una delicia oír sus carcajadas a cada poco, desbordando alegría y despreocupación.

Fue una tarde feliz, a la que le siguió una noche tranquila. Y después vinieron unos días alegres y llenos de gratitud, pues tanto Marta como Sara eran conscientes de que cada día que se podía vivir en salud y en armonía era un regalo.

Una de las noches, la madre recibió un correo de Enrique Alonso:

Título: Viaje a Barcelona

Querida Marta:

Deseo que hayas pasado unas Felices Navidades.
Ayer recibí la copia de la primera página del texto. En cuanto pueda me pondré a trabajar en él. Tengo la corazonada de que no va a ser muy complicado descifrarlo, teniendo en cuenta los antecedentes de tu abuelo.
Ahora quisiera hacerte una propuesta. Voy a viajar a Barcelona el próximo día 30, pues me han invitado a dar el sermón del culto de Año Nuevo en una de las iglesias de tu ciudad. ¿Te parece bien que nos veamos el día 31 en algún momento? Es lunes, no sé si trabajas, pero para mí sería un verdadero placer coincidir contigo y terminar la charla que dejamos a medias.
Si no puedes o no te parece oportuno, no te preocupes. Quedamos tan amigos igualmente.

Cuídate.
Enrique Alonso

Marta estaba en la oficina recordando el correo que había leído la noche anterior. Allí en el trabajo estaban en cuadro, pues muchos compañeros se reservaban días de vacaciones para las fiestas de Navidad, así que era de prever que nadie la importunaría demasiado con cuestiones de gestión. *Para mí sería un verdadero placer coincidir contigo.* Sonaba bien. Y luego tanta prudencia: *Si no te parece oportuno…* Seguro que si se lo hubiera dicho hablando se hubiera puesto colorado. O quizá no; le despistaba a estas alturas. Aunque siempre, con un papel de por medio, en este caso un *papel virtual*, era mucho más fácil expresarse.

Re: Viaje a Barcelona

Querido Enrique:

Estos días de fiesta siempre son dulces para mí. En la familia todavía hay niños pequeños que disfrutan intensamente la emoción de los regalos, y yo tengo unos padres y unas hermanas maravillosos, cuyos maridos son buena gente también. Entre unos y otros vamos haciendo la ronda de celebraciones en todas las casas.
En cuanto a tu propuesta, estaré encantada de verte. Ese lunes tengo fiesta y no voy a trabajar, así que propón la hora y el lugar que te vayan mejor, y yo me adapto.

Un abrazo,
Marta

Esa vez quedaron en el centro, por la mañana, en una callejuela que daba a la calle Portaferrissa. Marta llegó con tiempo y estuvo tomando nota sobre qué se llevaría según la moda hindú la próxima primavera, curioseó acerca de la decoración para pisos diez veces más grandes que el suyo y reencontró la vieja papelería donde, de adolescente, compraba hojas de colores para escribir cartas a sus amigos. A las once en punto apareció Enrique Alonso y entraron en

una de las cafeterías. Subieron al piso de arriba y se decidieron por una de las mesas que daba al balcón interior. Enrique Alonso apartó la silla para que Marta se sentara y luego ocupó su lugar enfrente. El espacio era justo, pero el establecimiento era muy acogedor.

Marta no pudo dejar de observar que a Enrique Alonso se le veía contento.

– Tengo que decirte dos cosas, Marta. Una es que estoy encantado de que hayas podido venir. Es un placer para mí verte y hablar contigo otra vez. Sentí mucho no poder extenderme un poco más en la ocasión anterior.
– Gracias. Pero comprendo que hay veces que las circunstancias obligan –dijo Marta–.
– Bien, de acuerdo, pero me alegro de poder tomar este tiempo para conversar un poco más contigo. La segunda cosa es que, o mucho me equivoco, o creo que ya he dado con la clave del texto. Tengo que hacer unas pocas comprobaciones más.

Marta no se acordaba en absoluto del escrito en esos momentos.

– Oh, me parece fantástico –dijo, reaccionando rápidamente.
– Si veo que voy por buen camino, haré la traducción de la página entera y, si quieres, me mandas todo el documento y lo traduzco todo.

Marta se lo quedó mirando.

– Muy bien, perfecto –añadió.
– Lo que sí te agradeceré es que me envíes fotocopias, pues la

calidad de la grafía al imprimir la página escaneada me hace forzar mucho la vista. Y ya estoy un poco mayor –Enrique acabó la frase sonriendo.

Marta quiso decir algo gracioso que quitara importancia al comentario sobre la edad, pero como no se le ocurrió nada, dijo:

– Hagamos una cosa. Dame una dirección y te lo envío todo ya, con la primera página incluida. Así, cuando vuelvas a Madrid ya lo tienes.
– De acuerdo. Luego te doy mi tarjeta.
– Muy bien.

En ese momento se acercó una camarera con un larguísimo delantal negro con rayitas blancas y un bloc en la mano para ver qué querían tomar.

– Yo, chocolate con churros –dijo Marta.
– Yo lo mismo. Y una botella de agua, por favor.

Cuando la chica se alejó, Enrique Alonso dijo:

– ¿Y cómo está tu hija?
– Muy bien, gracias. La mejoría se ve día a día. Todavía utiliza las muletas y cojea un poco, claro. Ahora tendrá que tomarse la rehabilitación en serio. Pero lo hará, porque ella es así y por la cuenta que le trae.
– ¿Y los estudios? Ella estudiaba, ¿no?
– Sí, ha ido trampeando gracias a los amigos. Pero no ha podido hacer algunos exámenes. Al llegar a casa se ha puesto en contacto por correo electrónico con los profesores, ¡caramba, cómo han cambiado las cosas desde mis tiempos de estudiante!, y alguno le ha propuesto una nueva fecha para examinarse. No está todo perdido.

– ¡Claro que no! –exclamó Enrique Alonso–. Si se esfuerza un poco, sacará el cuatrimestre sin problemas.

Les sirvieron los chocolates, los churros y el agua con una copa. Dejaron la cuenta en un platito al borde de la mesa. Enrique Alonso, discretamente, se la acercó.

– Me figuro que te llevaste un buen susto con el accidente de tu hija –Enrique Alonso se había puesto serio.

Marta, que tenía un churro a medio camino de la boca, lo dejó en el plato junto a la taza. Levantó la cara y trató de mirar más allá de lo que veía en los ojos de Enrique Alonso. Tanta gravedad en su expresión le impresionó.

– Sí.

Calló. Volvió a mirar el chocolate y, de nuevo, a Enrique Alonso.

– Cuando me llamaron para decirme que Sara había tenido un accidente tuve la sensación de que el suelo desaparecía bajo mis pies y que sólo quedaba el abismo. Sentí *pánico* –Marta hizo una brevísima pausa–. Y la palabra sola no describe el terror que experimenté.

Enrique Alonso la escuchaba y parecía comprender lo que quería decir. Él sabía de lo que le estaba hablando. Marta se emocionó y se le humedecieron los ojos. Por un momento pensó que su conmoción podría pasar desapercibida, pero cuando sintió que las lágrimas estaban a punto de escapársele, buscó un pañuelo y se las secó.

– Lo lamento. Últimamente estoy un poco llorona.

Enrique Alonso la contempló. Marta no pudo adivinar qué actitud encerraba ahora su rostro.

– No hay nada que lamentar.

Ambos se ocuparon de sus respectivos chocolates durante unos minutos. Finalmente, Enrique Alonso preguntó:

– Marta, ¿eres creyente?

Ella se puso a la defensiva. Levantó la cabeza y le miró casi con enojo.

– No. ¿Por qué me lo preguntas?

Enrique Alonso ignoró la cuestión.

– ¿Por qué no eres creyente?

Marta le miró con suspicacia.

– ¿Alguien te ha contado cosas sobre mí? ¿Alguien te ha pedido que me hables?
– No. ¿Por qué lo dices? No, no, Marta. Te lo estoy preguntando porque creo que has pasado una prueba difícil y me gustaría saber a dónde te has agarrado para salir adelante. Perdona. Soy torpe e indiscreto.

Enrique Alonso se quedó mirando su taza sin saber qué hacer.

– Enrique… –dijo Marta, después de unos instantes, en voz muy baja– Enrique, perdóname tú. Es que soy un poco susceptible con algunos temas.

– Yo no sabía…
– ¡Cómo ibas a saberlo!

Enrique Alonso apartó un poco el plato con la taza y apoyó los antebrazos en la mesa. Los dedos y las palmas de sus manos se tocaron unos momentos, luego se volvieron a separar.

– Permíteme, Marta, pero es que me interesa de verdad. Si no quieres, no me contestes, claro. Pero, ¿por qué no eres creyente?

Marta le miraba con cara de asombro. Nadie, en muchos años, se había atrevido a hacerle esa pregunta. En realidad, entraba absoluta y rotundamente dentro de las preguntas *políticamente incorrectas*.

– ¿La pregunta no debería ser más bien *por qué eres creyente?*
– No, Marta. Si usas la inteligencia, la premisa es *no hay reloj sin relojero.* No te conozco apenas, pero seguro que has pensado alguna vez sobre lo que ves, lo que hay a tu alrededor en la Naturaleza, en el Cosmos, y el diseño que se percibe. También habrás pensado en qué le pasa al ser humano que cuanto más tiene y más sabe, más insatisfecho se siente. ¿Qué le falta? ¿Qué falla? La pregunta es, pues, ¿por qué no crees en Dios si su huella se percibe en todas partes? ¿Por qué no crees en Él si su negación lleva al vacío y al absurdo más absolutos?

Enrique Alonso se detuvo. Se sintió obligado a justificarse:

– Como te conocí en el marco de la actividad de una iglesia me hice una composición de lugar un poco equivocada. Perdona. No quiero molestarte de ninguna manera.

– No me molestas.

Marta miró durante un rato el movimiento en el piso de abajo de la cafetería. Después se volvió hacia Enrique.

– Si te soy sincera, justo esa misma pregunta creo que intentaba aflorar en mi mente durante estas últimas semanas. ¿Por qué no creo, si me crié escuchando la Palabra de Dios?

Enrique Alonso no dijo nada. Marta seguía elaborando sus pensamientos. Cogió distraídamente un sobrecito de azúcar y lo zarandeaba pasando el contenido primero a una esquina, luego a la otra. Se detuvo.

– No creo en Dios, aunque sí creo. Quiero decir que no quiero hacerle caso, que no le quiero organizando mi vida. Claro que sé que está ahí.
– ¿Y por qué no quieres hacerle caso, Marta?
– Por rebeldía. Por orgullo. Por rencor. Porque he visto muchos hipócritas en la iglesia. Porque me siento herida. Porque no entiendo muchas cosas.

IX

Palabras

– ¡Feliz Año Nuevo, nena! Gracias por sujetarme la puerta.

– Feliz Año, señora Pepita –saludó Marta–. ¿Le subo alguna bolsa?

– No, no, ya puedo. Total, hasta el ascensor ya no queda nada… Lo que me ha costado es llegar desde el supermercado hasta aquí. Oye, ¿cómo tienes a la niña? Ya está en casa, ¿no? Veo a sus amigos que suben y bajan todos los días. Son un buen *monstruario* de juventud, para poder escoger. No te quejarás, ¿eh? Siempre contentos, siempre riendo.

– Espero que no la molesten, señora Pepita.

– ¡Qué va! ¡Quién pillara sus años! ¡Ah! Que como estabas en el hospital, al final le pregunté al jefe por lo de la *anónima*, y me ha dicho que es que a final de año tiene que *regulizar* las retenciones para *Hacienda*, que si no luego nos cae un palo a todos.

– Ya pensé que sería eso, pero si quiere se lo compruebo. Es que con lo de mi hija se me fue el santo al cielo, que suele decirse.

– Pero está bien, ¿no?, la niña, digo. La vi el otro día caminando despacito con las muletas.

– Sí, va mejorando. Gracias.

Marta se despidió de su vecina en el quinto y siguió hasta su rellano. Al salir del ascensor, buscó la llave y, al abrir la puerta, vio que Sara estaba en la cocina preparando la comida.

– ¡Pero bueno! ¡Esto sí que es una sorpresa, hija! –le dio un beso.

– Ay, mamá. Ya estoy cansada de estar sentada. Llevo un mes así.

– Bien, Sara, a mí me parece fantástico. Pero no fuerces la pierna –Marta la miró de arriba abajo con alegría–. Voy a dejar los trastos en el cuarto.

La mitad de la mesa del comedor la ocupaba el rompecabezas de los caballos. Estaba prácticamente terminado, sólo quedaban por completar algunas zonas del cielo, de un azul intenso, y parte de la nieve del suelo, en blanco y gris. Mientras se ponía las zapatillas y la bata pensaba que quizá sería una buena idea enmarcar el *puzzle* y colgarlo en la pared, como recuerdo de un incidente importante que acabó bien. La cuestión estribaba en dónde había un hueco en la casa en el que cupieran todos aquellos caballos corriendo a toda velocidad y salpicándolo todo a su paso.

Sara colocó el mantel doblado en la mitad de la mesa que quedaba libre, y Marta dispuso el resto de los enseres para evitar que la chica fuera haciendo viajes de un lado a otro a la pata coja. Conectaron el televisor y, mientras comían, estaban viendo una de las telenovelas que solían dar a esa hora, exactamente el capítulo mil cuatrocientos sesenta y cuatro. Entonces Marta comentó, sin apenas darle importancia:

– El otro día desayuné con Enrique Alonso.

– ¿Con qui…? –comenzó a preguntar Sara, aún pendiente del programa–. ¡Mamá! –se volvió a mirarla casi indignada–. ¿Cuándo? ¿Dónde? ¿Cómo no me dijiste nada? Mamá, no tienes vergüenza ni consideración.

A Marta se le escapaba la risa.

– No estarás regañándome, ¿verdad?

– *Jolín*, mamá. *Jolín*. ¿Por qué no me cuentas las cosas?

– Evidentemente, para que no te pongas nerviosa y pierdas los papeles.

Sara había dejado los cubiertos sobre el plato y esperaba con los brazos cruzados a que su madre continuara.

– Bueno, qué. Piensas torturarme un rato, ¿no? –dijo al fin la chica.

– Que no, que no –Marta se reía.

– Muy graciosa.

– Vale. Fue el lunes.

– Yo pensé que te ibas a comprar.

– Pues no pienses tanto.

– ¿Y qué ropa llevabas?

– ¡Oh, ya estamos! –dijo Marta afectando fastidio.

– Mamá, por lo menos déjame valorar si tenías posibilidades de éxito.

– Oye, guapa. Yo siempre tengo posibilidades de éxito –era sólo una frase; Marta nunca consideró que estuviera en un escaparate a la venta.

– Perdona… Llevaste vaqueros, ¿no? Como si lo viera.

– Y un suéter negro de cuello alto –Marta puso las palmas de las manos sobre la mesa–. ¿Apruebo el examen?

– Psí. Supongo que en realidad ibas elegante.

– Supones bien.

Sara esperaba que su madre continuara.

– Por cierto, hija. Quizá te interesará saber que no fue nuestro mejor día.

– ¡Por favor, mamá! –Sara estaba escandalizada–. Pero, ¿cuántos días os habéis visto? ¿Dos? ¿Y no fue vuestro mejor día?

No podía ser. La joven no podía creérselo.

– Mamá, ¿habéis discutido? –Sara cavilaba a toda velocidad–. No ha sido eso, ¿verdad? ¿Qué ha pasado?

Marta suspiró.

– Me preguntó si yo era creyente.
– ¿Y? –preguntó Sara al ver que su madre no continuaba.
– Pues eso.

La chica miraba a su madre intentando desentrañar dónde se hallaba la gran ofensa, el motivo para la pelea.

– Mamá, te aseguro que hay veces que no te entiendo –Sara se volvió hacia el plato, cogió los cubiertos y continuó comiendo en silencio.
– Ay, hija, no es tan sencillo. Ya te lo explicaré con calma en otro momento. La buena noticia es que hemos quedado que seguiremos en contacto a través del correo electrónico, por lo menos para las cuestiones que tenemos pendientes, así que no está todo perdido. Por si te consuela.

Siguieron comiendo calladas durante un rato más, mirando la televisión, quizá sin verla del todo.

– Ah, Sara. Que Enrique Alonso me dijo que cree que tiene la clave para descifrar el texto. Le faltaba hacer unas verificaciones. Y me pidió que le mandara el resto de las fotocopias para traducirlo todo. ¿Qué te parece?

– ¡Cómo se nota que no tienes nada que hacer!

– Mamá, además estamos todos conectados ahora –dijo Sara sonriendo.

– ¡Cómo se nota que ninguno tiene nada que hacer! Aprovecha, que cuando empiecen las clases habrá que volver al horario civilizado.

– Sí, mamá… –Sara apenas prestaba atención, mientras tecleaba con furia.

– Te quedan cinco días.

– Sí, mamá…

– Buenas noches, Sara.

– Buenas noches.

Cuando Marta llegó de trabajar al día siguiente, el recibidor olía a mandarinas y el comedor a manzanas.

– Hola, Sara –le dio un beso–. ¿Has bajado a comprar?

– Sí, me apetecía una ensaimada para desayunar. Y al pasar por delante de la frutería, me he dado cuenta de que olía intensamente a mandarinas, a manzanas y a tomates. He comprado las tres cosas, aplicando tu criterio, mamá: si una fruta, en los tiempos que corren, huele a fruta, cómprala. Aunque con las muletas me ha costado un poco, la verdad.

– Ya me imagino. Pero bien hecho. ¿Sabes? A mí las mandarinas me huelen a Navidad…

¡Cuántas fotografías completas, cuántas sensaciones robadas a los otros sentidos, incluso tiempos enteros, podían quedar absolutamente recogidos en un olor! Los veranos de la infancia de Marta y sus hermanas, con el huerto, los conejos, el columpio hecho por su padre, la viejísima tía de su madre, los primos castellanos, el camino hasta la granja de las gallinas, el pozo, el cantar de los gallos, el banco de piedra, las aventuras de la Biblia

– Pues que el señor Erudito es muy listo –Sara iba a morder un trozo de pan, cuando preguntó–. ¿Te ha dado su dirección postal?

– No. Con el desacuerdo que tuvimos al final se le olvidó darme su tarjeta; pero se la pediré por *mail*.

Cuando terminaron de comer y ya tenían todo recogido, Marta le dijo a Sara:

– Venga, no te hagas la dura conmigo. ¿De verdad que no tienes ni un poquito de curiosidad por saber qué dice *tu* texto encriptado?

– ¡¡Pues claro que sí, mamá!!

– Ya me parecía a mí…

Las dos se sentaron en el sofá, mientras reían, y Sara comenzó a fabular:

– Es muy posible que, en estos momentos, esté cambiando nuestra suerte, porque vamos a saber dónde se esconde la fortuna de la familia Deluna.

– Y seguro que somos ricas, y con los miles de euros que vamos a tener, podremos comprarnos… ¡un piso de tres habitaciones! ¡Ea! ¡A lo grande!

– O quizá tengamos que estudiar a fondo el documento porque, una vez traducido, nos dará la clave de un lugar lejano, y tendremos que viajar, esto se pone interesante, donde habrá que localizar un segundo documento que, a su vez, nos dará la pista…

– Sara…

– Sí… –la chica permaneció muda unos instantes–. Pero estaría bien, ¿verdad?

Aquella noche Marta tenía especial interés en consultar su correo electrónico. Calculaba que Enrique Alonso quizá ya estaba de regreso en Madrid… y tal vez le hubiera escrito. No quería parecer ansiosa, pero debía estarlo, ya que estimó que el ordenador tardaba una eternidad en ponerse en marcha y que el *Explorer* se tomaba casi un siglo para cargar la página de inicio. Una vez hubo tecleado la contraseña en su correo, durante esos instantes en que la pantalla queda casi completamente en blanco antes de mostrar qué hay de nuevo, Marta cerró los ojos deseando vivamente que estuviera ahí el correo que esperaba. Si no, ya sabría ella darse unas cuantas justificaciones razonables que la tranquilizarían durante unos días. Finalmente, se abrió la página de su buzón indicando que en la bandeja de entrada se encontraban dos mensajes nuevos. *Clicó* y, por fortuna, uno, efectivamente, era de Enrique Alonso.

Título: La pipa de la paz

Querida Marta:

Créeme si te digo que lamentaría mucho que nuestro desencuentro del lunes significara que ya no voy a tener el gusto de verte en sucesivas ocasiones.
Sin embargo, me pareció que lo que apuntaste casi al final de nuestra conversación reviste una gran importancia. Si me permites, estaría encantado de comentar contigo esas cuestiones, pero no con mis pobres ideas al respecto, sino aprovechando que hay unas palabras escritas que pretenden haber sido dejadas por el mismo Dios Creador para iluminar nuestro camino. ¿Recuerdas, cuando eras niña, haber memorizado un texto que decía: "Lámpara es a mis pies tu Palabra, y lumbrera a mi camino"? Pues, partiendo de ahí, mi sugerencia es que podríamos ir desgranando algunos de los asuntos que planteaste.

Marta no sólo recordaba la cita, sino que la había cantado de pequeña en la escuela dominical, y de joven en las excursiones y campamentos en los que participó.

Si aceptas mi propuesta, dime por dónde te parece mejor que empecemos. Si no, quedaremos tan amigos.
Por cierto, te mando el número de mi Apartado de Correos para que me envíes las fotocopias del escrito.
Cuídate mucho.

Un beso,
Enrique Alonso

Marta leyó muchas veces el correo. No tenía dudas de que el tono era más que conciliador, pero le molestó que Enrique Alonso no le diera la dirección de su casa sino un Apartado de Correos. Sin embargo, lo que la inquietaba de verdad era el interés en tratar todas aquellas cuestiones que ella no estaba ni mucho menos convencida de querer abordar, aunque las hubiera mencionado en aquella desafortunada conversación, escapándosele por entre los labios casi a su pesar.

Se acostó sin contestar el mensaje. Quería meditar la respuesta. Tenía la extraña sensación de que alguien estaba estrechando un cerco a su alrededor, pero no sabía a qué atribuir esa aprensión. Después de leer un rato, sabiendo que le costaría dormirse, se levantó para tomarse dos pastillas de valeriana. Encontró a Sara chateando en el ordenador.

– ¿No duermes, hija?
– Es que como no me canso, no tengo sueño. Y como me acuesto tarde, por la mañana me levanto aún más tarde… y luego por la noche tampoco estoy cansada. Es el pez que se muerde la cola.

contadas después de la cena en el patio... todo contenido en el olor de una higuera. En ocasiones le había ocurrido que, caminando por la calle, en el interior de una tienda, paseando por el campo, le asaltaban súbitamente esos recuerdos. Marta sabía que por allí cerca había una higuera, o higos, aun antes de ser consciente de su olor o de haberlos localizado con la vista.

El aroma singular de las sábanas de unos apartamentos contenía los veranos de Sara. La playa semidesierta, su escasa profundidad que la convertía en una piscina enorme. Los trenes, atronadores los primeros días y que apenas oían a la segunda semana; el recuento de vagones, sus listas de *records;* las mejores marcas estaban encabezadas por los mercancías. El paseo marítimo congestionado de gente los fines de semana, la sensación de que Sara podía perderse entre la multitud en cualquier momento. Las cenas en la terraza del apartamento. Las risas y los juegos. Los cuentos. Todo esto y aún mucho más en el particular olor de unas sábanas limpias.

Aquella noche Marta decidió responder al correo de Enrique Alonso.

Re: La pipa de la paz

Querido Enrique:

Gracias por tu correo.
Si todo va bien, mañana te enviaré las fotocopias del texto íntegro. De nuevo, gracias por tu interés en este tema.
En cuanto a tu propuesta, creo que la aceptaré. Y podríamos empezar por la siguiente cuestión: ¿por qué hay tantos hipócritas en las iglesias, que es donde menos deberían estar?

Hasta pronto,
Marta

En cuanto le dio al ratón para enviar el mensaje se arrepintió de haberlo hecho. Hubiera debido ser más considerada y medir un poco más las palabras. Pero ya era tarde. Si Enrique Alonso contestaba sin enojarse, seguramente se debería a que la fama de que gozaba como pedagogo paciente era bien merecida.

Antes de dormirse Marta permaneció un buen rato con la luz encendida, apoyada en el gran cuadrante de almohada que le hacía de respaldo cuando se sentaba en la cama, con el libro abierto sobre el regazo. Pero no leía. Era fácil encontrar defectos en los demás y levantar un dedo acusador. Se arrepentía de lo que había escrito, porque en aquella frase incluía a su familia más cercana, y precisamente le parecía injusto. También a María José y, aunque no la conocía tanto, no le daba la sensación, tampoco, de que cojeara por ese flanco. E implicaba también al propio Enrique Alonso.

¿Habían inventado, los de los servidores electrónicos, la manera de recuperar un correo ya enviado? Por ejemplo, mientras no hubiera sido abierto. Marta se daba cuenta de que comenzaba a desvariar, así que colocó el libro en la mesita de noche, apartó el cuadrante, colocó bien su almohada y se acostó. Al cabo de unos momentos apagó la luz, con el mal sabor de boca de no haber acertado con las palabras en una nota de sólo unas pocas. ¡Qué torpeza!

Desde que salió de casa a la mañana siguiente a Marta el aire le olía a tristeza. Llegando a la oficina, antes de las ocho, vio un arbolito de Navidad tirado en el suelo, cerca de un contenedor de basura. La noche de Reyes era al día siguiente. Se le encogió el corazón. El cielo se veía aún oscuro, sin asomo de luz. Quizá estaba encapotado.

Entró en la Administración, se dirigió al reloj para fichar y, cosa que no solía hacer, fue directamente a la máquina de café. Buscó unas monedas y las introdujo. Mientras esperaba que el vasito de plástico se llenara con el brebaje, apareció por allí un compañero que venía a por su dosis de cafeína antes de comenzar la jornada. La conversación insustancial que mantuvieron y el *Hasta luego, que vaya bien el día* que le dedicó, aun dentro de la más estricta formalidad, le hicieron cambiar de humor. La oficina seguía bastante desierta a causa de los turnos de las vacaciones navideñas y estaría bastante sola toda la mañana, pero el lunes, que ya habría regresado todo el personal, debía estar todo a punto para recuperar el ritmo. Enfrascarse en el trabajo siempre había sido una excelente manera de no pensar.

Aquella tarde de viernes Marta y Sara decidieron bajar a comprar pijamas para la chica pues, con la hospitalización, los que tenía habían quedado bastante envejecidos. Al salir del portal se encontraron con la señora Pepita, la vecina del quinto, que venía de la farmacia con una gran bolsa de plástico llena de medicamentos.

– ¡Hola, nenas! ¿Qué tal? ¿Cómo va esa pierna? Bien, ¿no? Ya te he visto estos días que sales con una sola muleta.
– Sí, gracias, estoy mucho mejor –dijo Sara, aprovechando un momento en que la señora Pepita tomaba aire para respirar.
– ¿Has visto? –levantaba la bolsa y se la mostraba a Marta–. Entre lo que ya tomaba y lo que me han recetado después del *analis*, mira tú: la farmacia entera me la tomo yo solita.
– Una curiosidad, señora Pepita –dijo Marta, guiñándole un ojo a su hija–. Las pastillas que usted toma, ¿son blancas o de colores?
– ¡Uy, nena, qué preguntas tienes! De colores, de todos los colores. Y de todos los tamaños y de muchas formas. Bueno,

de las nuevas, ahora que lo pienso, la del *estiroides* es blanca y pequeñita…

Después de cenar Sara, sentada en el sofá, miraba si en la televisión daban alguna película interesante, mientras Marta recogía la cocina. A ellas les gustaban los cuentos, las historias, las películas. O las series. Pero los viernes por la noche eran un mal día para encontrar según qué a la hora en que a ellas les iba bien.

– Mamá, ¿tienes sueño?
– ¿Por qué? –Marta se puso alerta.
– ¿Puedo hacerte una pregunta?

El televisor seguía encendido y una pequeña lamparita iluminaba la sala. Marta se volvió para estudiar por un momento el rostro de su hija.

– ¿Qué me quieres preguntar, Sara?
– Es personal.
– Ya me lo figuro, si no, no harías una introducción tan larga –Marta hubiera apostado sobre cuál era la pregunta, segura de ganar.
– ¿Sí? ¿Puedo?
– Tú pregunta. Que yo te responda es otra cosa. Ya sabes que hay límites.
– Sí… bueno…
– Venga, ahora no te cortes –la animó Marta.
– De acuerdo. No es por entrometerme, mamá. Es que estos últimos días he estado pensando mucho. No sé, tú me cuentas si quieres, ¿vale?

Sara hizo una pausa y se lanzó:

– Mamá, aparte de mi padre, ¿hubo alguien más? Quiero decir, ¿te has enamorado más veces?

Marta hubiera ganado su apuesta.

– Sabes que esto no tengo por qué contestártelo, que son cosas mías, muy de dentro.
– Perdona –se apresuró Sara.
– No; está bien. Lo que quiero decir es que si te lo voy a contar es porque confío en ti y porque te quiero.

Sara asintió.

– Estuve enamorada en otra ocasión –dijo Marta, pronunciando las palabras con lentitud, mirando fijamente a su hija.
– Mamá, ¿sentiste lo mismo que la otra vez? –preguntó Sara al cabo de unos instantes.

Marta apartó un momento la vista, desviándola hacia el televisor. Luego volvió a mirar a su hija.

– Sí y no. Me enamoré de todo corazón, pero de otra manera. ¿Recuerdas que te dije que, a los veinte años, creí que el amor me lo merecía? Ya en los treinta lo consideré un regalo. Tú tenías ocho años. En realidad, hoy pienso que el amor, el verdadero amor, es un milagro. Pero existe; mira a los abuelos, por ejemplo.
– ¿Quién era?
– Un profesor. Su instituto estaba cerca de la oficina en la que yo trabajaba en aquella época. Coincidíamos a veces en el bar a la hora de desayunar, aunque él siempre llevaba mucha prisa. Un día que yo me quedé a comer, pues debía

trabajar también por la tarde, le encontré en el restaurante. La cuestión es que terminamos desayunando juntos porque quedábamos, y comíamos un día a la semana también juntos. Era simpático y atento. Le gustaba su trabajo y sabía transmitirlo. Era muy alto y bastante guapo. Y reía *desde dentro*. Si algo no le hacía gracia, no reía; pero cuando lo hacía, la alegría que emanaba era contagiosa.

Marta se detuvo en su relato y Sara aprovechó para preguntar.

– Mamá, ¿te enamoraste de él enseguida?
– No, Sara, no. Fue poco a poco, al ir conociéndole. Fuimos amigos antes que nada.

Marta se quedó mirando de nuevo el televisor, que seguía encendido, pero sin voz.

– A él le trasladaron. No sé si hubiera podido quedarse aquí de haberlo intentado con un poco más de ganas. Pero se fue.

Marta se encogió de hombros y miró a su hija.

– ¿Y tú? ¿Y tú, mamá?
– ¿Yo? Yo, como una imbécil, creyendo todavía que el amor verdadero existe –Marta levantó las palmas de las manos y atajó–. No, como una imbécil no. Porque he visto más de una vez que ese tipo de amor existe y no quiero conformarme con menos. Pero no tuve suerte en esa ocasión… tampoco.

Marta procuró retirarse rápido y acostarse. Apagó la luz y se arropó con todas sus fuerzas. No le había contado ni la mitad. Ni la mitad de la alegría que sintió cuando comenzaba, cuando

vencía el miedo y empezaba a confiar, y se abandonaba al saberse correspondida, sintiéndose feliz, tan insultantemente feliz de
nuevo. Ni la mitad del dolor y la desesperación al ver que él se
alejaba, sin entender del todo el porqué. Sí, estaba casado, pero
ella se hubiera conformado con una pequeña parcela de su cariño.
En comparación con *nada*, esa porción de amor era un valiosísimo
tesoro. Cuando él se despidió de ella, que sí lo hizo, no compren-
dió del todo qué abarcaba su mirada, no supo leer en las medias
frases qué había más allá. Porque hasta el último momento él le
aseguró que la quería y que siempre la llevaría en su corazón. Pero
de todas maneras, la dejó.

El sábado por la tarde, mientras por todo el país tenían lugar las cabalgatas de Reyes, Marta abrió el correo. Ahí esperaba la
respuesta de Enrique Alonso:

Título: Las iglesias

Querida Marta:

*Ya tengo traducida la primera página de vuestro escrito.
Aún no he recibido el resto de las copias, pero estoy ansioso
por continuar con el trabajo.
En otro orden de cosas, me alegro de que aceptes el reto de discutir las cuestiones que mencionaste, y todas las que quieras.
Por cierto, yo no sé cuánto tiempo tuviste ocasión de asistir a
la iglesia siendo una niña, pero quizá recuerdes algunas de
las cosas que oíste allí. Vamos con el primer tema que plan-
teabas:* ¿por qué hay tantos hipócritas en las iglesias, que
es donde menos deberían estar? *Has sido un poco categó-
rica, ¿no crees?
Marta, ¿tú recuerdas quiénes forman la Iglesia de Dios?
¡Precisamente aquellos que se acercan a Jesús porque se re-
conocen pecadores! Pecadores, Marta; pecadores que le piden*

perdón por sus pecados. El problema está en que, mientras seguimos en esta vida, somos susceptibles de pecar, aun habiendo sido salvados por Jesús. En la Iglesia hay creyentes que durante toda su vida luchan con unas debilidades, otros con otras. Cuando lleguen a la casa del Padre ya no tendrán que luchar más. ¿Entiendes?

Dudo mucho que todos los creyentes que has conocido a lo largo de tu vida sean hipócritas.

Mírate a ti misma. No sé qué código ético sigues, pero es muy posible que alguna de las cosas que crees que no hay que hacer, tú la hayas cometido, quizá contra otra persona. En ese caso, te condenarías a ti misma. Lo que ocurre es que solemos ser indulgentes con nosotros mismos.

¿Hay hipócritas en las iglesias? Sí. ¿Gente que cotillea y murmura? Sí. Y personas que cometen quizá otros pecados... todavía. Hay un camino que andar, un aprendizaje que hacer para todos los que hemos creído en Jesús. En eso estamos, aun siendo ya libres de la condenación eterna.

Pero tú no pongas de excusa a nadie por ti. Tú debes mirar a Jesús directamente, sólo a él. ¿Qué decía? ¿Qué enseñaba? ¿Qué hizo por ti? ¿Qué requiere de ti?

No cometas el error de poner excusas.

Un abrazo,
Enrique Alonso

Marta se enojó por las palabras de Enrique Alonso. Ella sabía que no era porque estuvieran escritas para ofenderla, ni porque le faltaran al respeto en ningún sentido. Precisamente su enfado era porque las consideraba no sólo razonables sino acertadas. Quería pedirle que le enviara la traducción del fragmento del escrito que ya tenía pero, por no afrontar la otra cuestión, decidió no mandar, de momento, ningún correo.

El lunes siguiente, cuando Marta regresaba de trabajar, la rambla todavía mostraba los restos de la Cabalgata de Reyes. Tanto en la calzada como en la acera aparecían aplastados algunos caramelos de colores. Al llegar al portal abrió el buzón y, entre los papeles de publicidad y las cartas del banco, halló un sobre recio, de papel amarillento, en el que se adivinaba un número considerable de cuartillas en el interior. Venía sin sello y como destinatario indicaba simplemente *Francisco*, escrito muy probablemente con una pluma estilográfica. Marta le dio la vuelta para ver quién enviaba la carta y descubrió que el sobre venía lacrado. El remitente era *Laureano*.

X

El texto

Antes de quitarse el abrigo siquiera, Marta encendió el ordenador. Sara no estaba, pues había salido con los amigos ese último día de vacaciones antes de retomar las clases. Quería entender qué era aquel sobre. El *Laureano* del remitente, ¿era su abuelo? Y el *Francisco* como destinatario, ¿significaba que el sobre quizá contenía el texto ya descifrado? Pero Enrique Alonso había dicho que aún no había recibido las copias…

Marta había dejado el abrigo y el bolso sobre su cama y se encontraba frente al ordenador en la habitación de su hija con el sobre en la mano. Mientras abría su correo electrónico acariciaba el sello de lacre con un dedo. Observó con detenimiento si se apreciaba algún dibujo o insignia, pero le pareció que no era el caso.

Dejó el sobre a un lado, sobre la mesa del ordenador, y escribió:

Título: El sobre sorpresa

Querido Enrique:

Acabo de encontrar en mi buzón un sobre dirigido a 'Francisco' y enviado por 'Laureano'. No lo he abierto todavía. Viene lacrado. Si es lo que yo creo que es, me gustaría saber

*si me lo has hecho llegar tú, aunque me parece poco probable.
Tengo la intención de esperar a mi hija para que lo abramos
juntas, ya que ella fue la que más se entusiasmó con el tema
del escrito encriptado.*

*Caso de que no me lo hayas mandado tú y como sea que
ya tienes traducida la primera página, ¿podrías enviarme
como botón de muestra por lo menos las primeras frases, para
ver si se trata de lo mismo?*

Muchas gracias.

Un abrazo,
Marta

Aunque comenzó a preparar la comida, cada cinco minutos se acercaba al ordenador para comprobar si había entrado la respuesta de Enrique Alonso. Marta comió, fregó los platos, hizo algunas tareas de la casa, salió a comprar… y no llegó el correo que esperaba.

Quien sí llegó fue Sara, a última hora de la tarde.

– Mira qué había hoy en el buzón –le dijo Marta a su hija, señalándole el sobre que estaba encima de la mesa del comedor.

Sara se acercó cojeando, dejó su mochila en una silla y lo cogió con delicadeza.

– Mamá, es nuestro, ¿no? Quiero decir, que como no pone nuestro nombre…
– Creo que sí. Fíjate que el remitente…
– Por eso, por eso mismo. *Laureano.* Francisco era su hermano, ¿no?
– Tú no sabrás nada de esto, ¿verdad? –preguntó Marta.

– ¡Yo qué voy a saber! Lo abrimos, ¿vale?

– Yo te estaba esperando para hacerlo.

– Gracias, mamá –Sara se disponía a romper el sello de lacre–. Y estaba en el buzón, así, sin venir dentro de otro sobre con nuestro nombre y dirección…

– Sí.

– Quien me robó los papeles me conocía y sabía donde vivía… o me ha seguido. Da escalofríos.

– Quizá, si leemos la carta, se nos aclaren las cosas…

– Es verdad –dijo Sara–. Abro ya, ¿eh?

La chica rompió el sello cuidando de no estropear el sobre. Extrajo los papeles del interior y constató que eran de tamaño cuartilla, como los originales, no de tamaño folio. El texto estaba escrito en español con una caligrafía que pretendía ser antigua, con la letra alargada e inclinada ligeramente hacia la derecha; con una estilográfica que en algún momento, quizá por la poca pericia del escribiente, dejaba más grosor en el trazo.

Sara se dirigió dificultosamente al sofá mientras leía ya las primeras líneas. Marta quería leer el escrito con calma, así que prefirió esperar a que la chica terminara con la primera hoja. Se sentó también, al lado de su hija, y entretanto tomó el sobre. Lo miró de nuevo. Sara le pasó la cuartilla y Marta comenzó a leer.

Cuando Sara terminó, esperó, quieta y en silencio, a que su madre también acabara. Marta tardó un buen rato. Leía con avidez, pero con la intención de asimilar todo el significado de las palabras. Cuando concluyó, amontonó con cuidado todas las hojas, las ajustó para que coincidieran sus márgenes y las dobló casi con una caricia.

– Me esperaba otra cosa –dijo Sara–. Son unas palabras
extrañas.
– Yo creo que, en realidad, son maravillosas –susurró Marta–.
Casi podría decirse que tienen algo de magia.

Sara se volvió hacia su madre y le pareció que estaba a punto de
llorar, de manera que no quiso discutir con ella en ese momento.

– Hija, me figuro que no se parece mucho a las novelas de
enigmas que has leído… Y eso es lo que te habías imaginado que sería, ¿verdad?
– Supongo –dijo, encogiéndose de hombros.

La chica se desentendió de la carta y marchó a su cuarto.
Desde el accidente en realidad apenas había hablado del escrito
ni del equipo de investigación. Unos intereses ocupaban el lugar
de otros con suma facilidad. Cosas de la juventud y del susto del
atropello, pensó Marta.

Por la noche la madre quiso consultar el correo antes de
acostarse, y le pidió a Sara que le dejase el ordenador durante
unos minutos. Ahí estaba el mensaje que había estado esperando
durante todo el día.

Re: El sobre sorpresa

Querida Marta:

¡Qué interesante es lo que me cuentas!
Si el texto comienza con algo parecido a: "Cuando el tiempo
no era tiempo y el espacio aún no se medía…", es el mismo.
Si ya lo has leído, quizá comprenderás mi interés por reser-
vármelo para enviártelo todo completo y no por partes.

Ahora ya es cerca de medianoche y no me atrevo a molestarte, pero mañana te llamaré y me cuentas más detalles, si te parece bien. ¡No deja de ser una historia curiosa encontrar un texto encriptado en tu propia casa y que luego te llegue la solución misteriosamente al buzón!
Como bien supones, yo no he tenido nada que ver, puesto que ha sido hoy cuando he recibido tus fotocopias.
Bien, buenas noches.

Un beso,
Enrique Alonso

Era el mismo texto. Qué otro iba a ser si no.

Ya acostada, Marta pensaba cómo era posible que unas palabras escritas hacía tantos años y dirigidas a otra persona, perdidas durante tanto tiempo y halladas por casualidad, parecieran actuales y vigentes *para ella*. Ésa era parte de la magia de aquellas palabras.

Por la mañana, mientras se arreglaba para ir al trabajo, descubrió una nota en la mesa de la cocina:

Por favor, mamá:
Déjame la carta, que hoy reuniré al equipo de investigación y necesitaré hacer copias para todos.
Gracias y que tengas un buen día.

Marta anotó a continuación:

Ahí te la dejo.
Por favor, haz una copia para mí, que se la llevaré a los abuelos en cuanto pueda. Gracias.

*Que te vaya bien tu primer día de clase. Vete con ojo con la
pierna y la muleta. Un beso.*

Al bajar del autobús, cuando estaba ya cerca de la oficina, a
Marta le dio la sensación de que especialmente después del fin de
semana podía constatarse que cada día amanecía más temprano, pues
el cielo mostraba un punto más de color justo a esa misma hora.

Cuando salió a desayunar se dio cuenta de que tenía una
llamada perdida en el móvil. *¡Enrique Alonso!* En la oficina quitaba la voz, y no se había dado cuenta de cuándo había entrado. No
hacía más de diez minutos, comprobó, así que resolvió telefonear
dando un pequeño rodeo antes de entrar en el bar para tomar el
café con leche.

– ¿Enrique? Buenos días, soy Marta.
– Hola, sí. ¿Qué tal estás?
– Bien, gracias.
– Me temo que antes llamé en un momento inoportuno –se
    excusó Enrique Alonso.
– Oh, estaba en la oficina, y tengo el volumen del móvil apa-
    gado, para no molestar…
– ¡Claro, claro! A ver, cuéntame eso del sobre.
– La verdad –dijo Marta– es que tendrías que haberlo visto:
    de papel grueso, de color crudo, cerrado con lacre rojo; las
    hojas en tamaño cuartilla y todo escrito a pluma con una
    caligrafía trabajada para que pareciera antigua.
– ¡Es conmovedor!
– ¿Cómo?
– Sí, vuestro traductor anónimo es un romántico incorregible.
    ¡Ha tenido en cuenta todos los detalles!
– Sí, es cierto –convino Marta.

– ¿Me permites aventurar una teoría?

– ¡Por supuesto!

– Creo que el autor de todo esto, que debe coincidir con el ladronzuelo que me habías comentado que robó las fotocopias, es alguien del *equipo de investigación* de tu hija, o muy cercano. Porque aunque hubiera visto que las fotocopias eran de papeles viejos (quizá por el deterioro que se apreciaba y por el tamaño del papel, que ya no se usa) la presentación que ha hecho le ha delatado.

– Creo que ya te entiendo –dijo Marta.

– La caligrafía de una persona es muy aclaratoria acerca de en qué época vivió. Aunque me gustaría ver la letra, creo que lo que has descrito como un intento para que parezca antigua es porque sabe más o menos cuándo fechar el escrito, y eso lo saben los que conocen los datos acerca de entre qué papeles se encontró el texto y quién era Laureano. O sea, el equipo de investigación, supongo.

– Hoy mi hija les iba a reunir y a entregar una copia a cada uno de la traducción. A ver qué cuenta.

– ¡Ja, ja! Será muy interesante. Y por cierto, tú cuídate mucho, que ya ves que puedes estar entre maleantes –Enrique Alonso seguía riendo.

– Lo procuraré. Gracias por el interés.

– Oye, Marta, ¿quieres que igualmente te envíe mi traducción?

– ¡Por supuesto! Bueno, si no es mucha molestia.

– No lo es en absoluto.

– Bien, pues gracias por todo.

– Gracias por llamar, Marta. Seguimos en contacto. Un abrazo.

Marta detuvo el paso y permaneció unos instantes con el teléfono en la oreja. Le gustaba la voz de ese hombre, tan grave y tan cálida. Sabía que en cuanto parpadeara, aunque lo hiciera lo más suavemente posible para no romper el hechizo, la realidad del Passeig de Gràcia la asaltaría de golpe, con los turistas paseando, los furgones avanzando por el lateral, las tiendas de lujo, los hoteles, y se vería casi obligada a recogerse en su pequeño bar, con las dos amables muchachas que atendían la barra, donde tomaría su café con leche y su cruasán mientras leía un libro que no pesaba demasiado porque era el que llevaba a cuestas en el autobús, como todas las mañanas.

Aquella noche Marta preguntó por la reunión del equipo de investigación:

– Si te digo la verdad, mamá, me parece que no han entendido gran cosa del texto. Sólo Marc, el que estudia Filosofía, parecía un poco más entusiasmado y ha pedido que recapituláramos. Hemos vuelto a la lista de preguntas que teníamos al principio, y lo cierto es que las respuestas las tenemos un poco revueltas y confusas.
– ¿Por qué lo dices, Sara?
– Espera, que la voy a buscar –y diciendo esto se fue a la habitación, despacio pero sin usar la muleta, para volver a aparecer con una carpeta que contenía gran cantidad de papeles.

Sara buscó diligentemente, y lo primero que hizo fue dar una copia de la traducción a su madre.

– Oye, hija. Me gustaría también tener el original. ¿Te importa?
– Oh, no. Claro que no –dijo mientras le pasaba a su madre el sobre–. Toma. ¡Ah! Y aquí tienes también las preguntas.

1– ¿En qué idioma está el texto?
2– ¿Está encriptado?
3– ¿A quién va dirigido?
4– ¿Cuál es el contenido (traducción)?
5– ¿Quién es el autor?
6– ¿Cambiará en algo la historia de la humanidad, o de nuestra familia, o de alguien, si se da a conocer?

Marta leyó la hoja.

– Parece que lo que tenemos claro son las cuestiones dos, tres, cuatro y cinco, y hay dudas respecto a la primera y la última, ¿no?
– Sí, mamá. Las letras eran árabes, pero ni yo ni nadie del equipo sabe qué idioma esconden detrás.
– Al final no tomasteis tanto interés en descifrarlo, Sara.
– No. Entre unas cosas y otras…
– Ya. Pero alguien sí lo hizo.
– ¡Eso es lo que más mosquea! Supongo que quien lo robó creyó que iba en la línea de los enigmas de verdad y, al ver lo que era, lo devolvió.
– Ya. ¿Y no se te ha ocurrido que quien haya sustraído el escrito y hecho la traducción sea alguien del propio equipo de investigación?

Marta expuso lo que había estado hablando aquella mañana con Enrique Alonso. Sara se quedó pensativa.

– Pues, o los demás disimulan muy, pero que muy bien, o al único que le interesa de verdad es a Marc. Ha vuelto a preguntar por tu abuelo, por la familia, por los papeles entre los que estaba el escrito, por cómo y cuándo vivieron y

murieron Laureano y Francisco, en fin. Porque Dani, que es
el que se ha incorporado más recientemente, está… mode-
radamente intrigado.
– Pues no sé qué decirte, chica. De todas formas, la pregunta
número seis me parece ciertamente relevante. Igual podríais
trabajarla un poco. Como equipo, quiero decir.

Marta tampoco había leído muchos más papeles de aquella
pesada caja con tantos escritos del abuelo. Casi con toda seguridad hubiera encontrado otros datos para completar una historia
familiar. Pero las cartas de amor que leyó aquella tarde hacía ya
meses la habían dejado indefensa y vulnerable, y no se había visto
con ánimo de exponerse de nuevo.

Desde la oficina, al día siguiente, Marta llamó a sus padres
y se invitó a comer. Quería enseñarles qué decía la carta llegada
desde el pasado. Laureano era el padre de su madre y Francisco
era su tío. Les gustaría conocer sus palabras, el mensaje que llegaba intacto cruzando todos aquellos años. Y les gustaría saber que
ella lo había leído.

Al salir de trabajar, Marta tomó el metro. Recordó que durante muchísimo tiempo la línea no llegaba hasta el barrio de sus
padres. Terminaba en la plaza Lesseps y allí había que coger un
autobús hasta Montbau. En invierno, yendo a casa desde la Facultad, le gustaba que el frío de la calle le entrara súbitamente por
la nariz, clavándosele como finísimas agujas, en cuanto llegaba a
los últimos escalones.

Antes de comer, mientras se lavaba las manos, Marta pensó que su madre era quizá una de las últimas personas que cultivaba el antiguo arte doméstico de unir el pequeño resto de la

vieja pastilla de jabón a la nueva, dando lugar a combinaciones de colores según la oferta del supermercado. ¡Cuánto daño había hecho el jabón líquido a esta antigua habilidad!

Los padres de Marta sirvieron la comida en la vajilla de los días de fiesta. Era de loza, con motivos de cacería inglesa grabados en color marrón, con el borde del plato dorado. No eran blancos, sino del color indefinido que el uso les había conferido. Pero, en este caso, era el color de los cumpleaños, de las navidades, de los aniversarios, de las visitas ilustres. Casi cincuenta años de celebraciones en una vajilla que Marta guardaría gustosa si en algún momento nadie quería.

Después de comer, María, la madre de Marta, sacó un pastel de galletas y chocolate. Era un clásico en la familia.

– ¡Pero mamá! ¿A dónde vas con un pastel tan grande?
– Es por si te quieres llevar un poco para Sara…
– ¿Un poco? –Marta sabía que su madre siempre preparaba comida, especialmente postre, como si esperara a toda la familia… y parte del extranjero.

Tomaron un buen trozo de pastel. Jaume, el padre, lo acompañó con café, y María y Marta con un té con leche. Finalmente Marta les leyó la carta. Estuvieron atentos y cuando terminó, guardaron silencio durante un buen rato.

– Impresiona –dijo el padre–. Me parecía escuchar directamente su voz, la de Laureano, como si estuviera vivo y hablando ahora, en este mismo momento.
– Esta carta no le llegó a mi tío Francisco, claro. Si no, no hubiera estado entre los papeles. No tenía trazas de borrador, ¿verdad?, aquel texto en otro idioma. ¡Qué lástima! Todo fue tan triste…

– Mamá –dijo Jaume, poniendo su mano sobre la de María.

– La explosión fue en el patio, y mi padre murió. Se rompieron los cristales de la casa y gran cantidad de cosas salieron volando por los aires.

– Tu madre tiene metralla en el cuerpo, Marta. Se ve en las radiografías.

– Mi hermana Josefa, que estaba fuera de la casa, vio lo que le ocurrió a papá y comenzó a gritar. No se movía de donde estaba, sólo gritaba y gritaba, con un chillido agudo que sólo interrumpía para tomar aire. Espantoso. Fue espantoso.

Jaume trataba de expresar con sus gestos cariñosos que acompañaba a María en su dolor. ¡Cuántas veces habían revivido aquellas escenas y qué lacerantes resultaban cada vez! El paso de los años no había mitigado el horror de aquellos momentos ni de los días que les siguieron.

– Lo peor –continuó María– es que tampoco supimos nada del tío Francisco. Siempre esperamos que volviera al acabar la guerra, como volvían otros. Él no lo hizo.

Aquella noche, ya en su casa, Marta no podía quitarse de la cabeza que las heridas que deja una guerra jamás se curan, por más tiempo que transcurra, por feliz y plena que sea la vida posterior; incluso teniendo una fe firme como la de su madre. Seguro que ella esperaba llegar también *a la casa del Padre*, para que Él sanase todas sus heridas y enjugase todas sus lágrimas.

Antes de acostarse, como ya empezaba a tomar por costumbre, consultó el correo y encontró un mensaje de Enrique Alonso:

Título: El texto

Querida Marta:

Te envío en un archivo adjunto la traducción íntegra del texto.
Permíteme decirte que he disfrutado, no tanto del ejercicio de traducir en sí —que no ha revestido mayor complicación— como de la línea de pensamiento que sigue Laureano, sencilla y clara.
Bien, pues ahí lo tienes… de nuevo.
Cuídate mucho.

Un abrazo,
Enrique Alonso

Archivo adjunto. Abrir.

Cuando el tiempo no era tiempo y el espacio aún no se medía, cuando lo que es visible a nuestros ojos no había comenzado a existir, antes de nuestro principio y de todas las cosas, estaba Dios. Por Él y para Él, todo lo que ha sido formado, fue hecho.

Diríase que el Hacedor puso cariño en una creación que habría de ser habitada por el ser humano, llenándola de las maravillas que nos admiran día tras día, en cada momento, tanto en lo infinitamente grande como en lo asombrosamente pequeño.

El hombre fue puesto a señorear, siendo advertido, como un hijo amado que era, de los peligros que corría si se desviaba de las instrucciones que había recibido. Estando diseñado para vivir en armonía con su Dios, sería su ruina total andar por otro camino. Aquellas palabras, pues, de aviso sobre la consecuencia irremediable de la muerte si se escogía el mal, se cumplieron con toda su crudeza sobre la humanidad entera desde aquel día de la más desafortunada de las decisiones.

Explícase en el Libro Santo que la muerte supuso separación, ruptura y perdición absolutas. Desde el primer momento después de la infausta elección, la separación del hombre con su Dios fue evidente, pues aquél ya se escondía. La ruptura con la mujer, inmediata; con acusaciones y rencores para siempre. La creación entera se vio trastocada, y aquellos animales amigos y aquel dulce jardín en que vivían tornáronse enemigos, que esperarían agazapados para mostrar con frecuencia su animadversión. Y, más triste aún, el propio corazón del hombre se vería privado de paz, en lucha constante consigo mismo, anhelando lo bueno que puede hacer y constatando, empero, la incapacidad de llevarlo a cabo a causa de su pecado.

¿Recuerdas? La risa queda fuera de lugar cuando literalmente este pecado significa errar el blanco, no cumplir aquello para lo que fuimos diseñados, provocándonos una tan grande frustración e infelicidad, tanto a nosotros mismos como a los que nos rodean.
¿Todo estaba perdido? ¿La creación entera había resultado un fracaso? No, pero porque el mismo Dios estuvo dispuesto a venir a salvar a los humanos. Francisco, tú conoces esta historia y sabes que no tenía por qué hacerlo.

Nuestra crónica, en su parte hermosa, comienza cuando llegó el cumplimiento del tiempo y nació Jesús, como uno más de nosotros aun siendo el mismo Dios. Su vida mostró el carácter del Padre en su bondad, su poder y su justicia. No dejó dudas al respecto, pues Cristo fue la manifestación en este mundo, a través de palabras, de gestos, de miradas, de milagros y de entrega, del mismo Señor de los cielos.

No te engañes como algunos, creyendo por tu cuenta y sin fundamento que el Dios vivo y verdadero es como tú prefieras imaginarlo. ¡Qué locura! Ese Dios real es amor y luz, y puede ser conocido hasta por un niño. Pero es justo, no lo olvides, y no dará jamás por inocente al culpable, ya que si no, no sería Él. Cada cual conoce su corazón y sabe en qué asuntos no llega a la medida de lo que debería ser, y en qué obra mal o bien, según la conciencia que tenemos todos los humanos.

Cuando Jesús llegaba al final de sus días, muchos le abandonaban, pues no era lo que habían imaginado que sería: un adalid contra los romanos que les ayudaría a recobrar la soberanía como nación; un rey que les permitiría vivir sin trabajar, ya que era capaz de alimentar a multitudes; un médico que les garantizaría la inmortalidad, ya que podía sanar enfermos y resucitar muertos; un filósofo nuevo que entretendría el pensamiento. Su hablar era duro en ocasiones y escandalizaba, porque confrontaba a las personas y pedía cambios. Entonces, viendo Jesús que muchos se echaban atrás, les preguntó a sus discípulos: "¿Queréis acaso iros vosotros también?". Y Pedro le respondió: "Señor, ¿a quién iremos? Tú tienes palabras de vida eterna".

¿Palabras, nada más? No, sino palabras dichas por el mismo que en medio de la tempestad en el lago, cuando estaban a punto de perecer, reprendió al viento y le dijo al mar: "Calla, enmudece", y se hizo grande bonanza. Y palabras dichas por

*el que llamó a Lázaro, muerto y ya enterrado, y el muerto
volvió a la vida.*

*¿Sólo palabras? No, sino palabras de vida, en oposición a la
muerte que se respira por doquier. Y palabras de vida eterna,
aún más allá de esta vida, dichas por quien no engañó jamás
a nadie, por quien demostró autoridad absoluta sobre los
elementos y las enfermedades, por quien estuvo dispuesto a
entregar su propia vida a la muerte como paga del pecado.*

*¿A quién ir, entonces, sino a Jesús? ¿Qué otro salvador es
de esta talla? ¿Quién más ofrece palabras de vida eterna
con garantías?*

*Querido Francisco, la vida está siempre llena de incertidum-
bres, pero en este aciago momento paréceme que aún más. He
vuelto a referirte lo que es harto conocido por ti. Debes tomar
una decisión, y mi ruego es que no te demores, pues está en
juego tu vida, tu verdadera vida. Recibe un fuerte abrazo
de quien te quiere y no te olvida en sus oraciones,*

Tu hermano Laureano.

XI

El cerco

Marta estaba encaramada a una escalera de mano, sacando cosas del altillo del pasillo. El piso era pequeño, de sólo dos dormitorios, pero ella siempre fue como una hormiga, atesorando objetos a los que alguna vez se les supuso valor porque fueron importantes para alguien cercano. Especialmente guardaba papeles.

Era el tercer sábado de febrero y llovía después de semanas enteras de sequía persistente en el país. Marta requería la ayuda de su hija Sara para guardar una caja de cartón nueva que contenía viejos papeles, principalmente de su abuelo materno. Procuraba no caer mientras le advertía que a continuación iba a intentar bajar, también con ayuda, una caja que pesaba mucho y que muy probablemente contenía libros. Libros viejos, por supuesto.

> – A ver, Sara, que realmente pesa mucho y el cartón no aguantará.
> – Sí, mamá, ya lo veo.
> – En horizontal, bájala en horizontal, hija.
> – Que sí…

Haciendo un gran esfuerzo consiguieron bajarla y llegaron a depositarla encima de la mesa del comedor sin otro contratiempo que algún posible esguince en las muñecas o la espalda. Estaba llena de polvo y algún que otro elemento vivo, así que Sara se fue a lavar las manos. Aunque aún cojeaba, la rehabilitación iba dando sus frutos. Desde el baño, alzando la voz, dijo:

– Mamá, yo tengo que estudiar, ¿eh?

Marta se dio por enterada. No le importaba. Se estaba arremangando la bata de andar por casa y el chándal que llevaba debajo. Quitó con cuidado la cinta adhesiva que en algún momento tuvo la intención de precintar la caja. Ni siquiera era de plástico, sino de tela. Se rompía entre sus dedos como una hoja seca, a pedacitos pequeños. Abrió las tapas de cartón, primero dos, luego las otras dos… y contempló lo que tenía delante.

En primer término aparecía un grueso libro de tapas negras, de casi dos palmos de alto por uno y un par de dedos de ancho, con ornamentaciones doradas enmarcando el título en grandes letras doradas también: *Santa Biblia*. Sin sacarla de la caja, abrió la tapa y leyó la dedicatoria:

*"Presentada por los hermanos
la Iglesia Evangélica de Chamberí
a los queridos hermanos
Laureano Deluna y Asela Sánchez,
en la ocasión de su casamiento."
¡Que el Señor les colme
de grandes bendiciones de lo alto!
En representación de dicha iglesia:*

*Tomás Rhodes
José Martiáñez*

Aún había otra firma que Marta no pudo descifrar. Acarició las letras con la yema de los dedos, deslizando su mano sobre las líneas. La caligrafía era hermosa, de trazo seguro, elegante; con toda probabilidad de ese tal Tomás Rhodes, ya que los rasgos de su rúbrica coincidían. En las páginas siguientes se recogían más datos, con tintas de distintos colores, con letras diferentes, al ir quedando rellenados los apartados del *Registro de Familia*: ascendientes, matrimonios, nacimientos, defunciones. Ahí aparecían los nombres de sus bisabuelos y los pueblos donde nacieron, el nombre de su madre y, de su puño y letra, el relato breve de la tragedia que sacudió a su familia.

Mi padre, Laureano Deluna Redondo, nació en Villa-rramiel (Palencia) en el seno de una familia adinerada. En su juventud fue ateo, tanto, que a un compañero que le hablaba del Evangelio le amenazó con ensartarle con la horca de aventar el trigo y dejarle clavado en el tronco de un árbol si continuaba hablándole de esas cosas. Sin embargo, después de morírsele una persona muy cercana y muy querida, recapacitó y se convirtió al Señor. Por esta razón, sus padres, los señores Deluna, le deshere-daron, y tuvo que salir de su casa, yendo a trabajar a otra parte. Gracias a su buena educación en el colegio de los curas, consiguió plaza de maestro en un instituto de Valladolid. Murió el 7 de junio de 1937, a los 35 años de edad, al caer una bomba en el patio de nuestra casa, mientras buscaba a mi hermana Josefa, que no aparecía después de haber visto que se acercaban los aviones. El Señor es fiel y no nos deja huérfanos, y nos abrió una puerta en casa de D. Mariano San León. Ellos nos re-cogieron y tuvimos el calor de familia. Estando allí, mi madre estuvo muy enferma y no valía ni para dar la co-mida a mi hermano Laureanín. Mi hermana Josefa dejó de hablar durante un tiempo y pasó muchas noches con

*pesadillas. Cuando mi madre estuvo recuperada y acabó
la guerra nos vinimos a Barcelona, donde mi madre pasó
unos años muy duros. Pero el Señor dice: "No os dejaré
huérfanos" y así ha sido, pues hemos sentido siempre su
compañía, su ayuda y su fortaleza. "Todo lo puedo en
Cristo que me fortalece". Fil. 4:13.*

María Deluna (1952)

Toda una historia resumida en pocas palabras, y cuánto dolor contenían. Marta cerró el libro. Acarició aquella tapa con la mano izquierda, mientras con la manga del brazo derecho se secó los ojos, que se le habían humedecido, y se frotó la nariz.

¿Qué más había en la caja? Biblias, numerosas Biblias de diversos tamaños, e himnarios antiguos. Fue sacando cada libro, uno a uno, con mucho cuidado. Todos indicaban quién o quiénes fueron sus propietarios. Todo aquello era un tesoro familiar. Había impresiones de principios del siglo anterior, de 1927, de 1931, incluso una Biblia dedicada el dos de julio de 1894. ¿Cómo tenía esa caja en su poder? El padre de Marta jamás se hubiera desprendido conscientemente de esos libros. *Evidentemente, los he debido robar* –dedujo Marta, con asombro–. *Pero, ¿cuándo?*

Se sonrió pensando que desconocía esta faceta de sí misma como ladrona de objetos antiguos. En realidad, lo más probable es que la caja se traspapelara en algún momento, cuando ella se llevó algunas de sus propias cosas en su mudanza, o cuando rescataba de entrar en los procesos de *reciclaje* las que efectivamente su padre o su madre desechaban. En este caso se habría cometido, sin duda, un error.

Aquella noche escribió:

Título: Mi altillo

Querido Enrique:

¿Cómo estás? Hace días que no sé nada de ti. Espero que todo te vaya bien.
Esta mañana, en el mismo lugar donde encontramos aquel texto extraño que tú tradujiste, ha aparecido una caja con un pequeño tesoro. Estoy por llegar a la conclusión de que mi altillo es una puerta al pasado, una de esas fisuras en el tiempo que permite acceder, en mi caso, a objetos de mis antecesores. Esta vez he localizado Biblias e himnarios de principios del siglo XX, incluso una de las Biblias era anterior: ¡la dedicatoria era de 1894! Mucho me temo que, en cuanto se lo diga a mis padres, tendré que devolverlo todo, pues la verdad es que no sé qué hace en mi poder.
Aprovecho para saludarte.

Un abrazo;
Marta.

La respuesta llegó en el tiempo en que Marta se entretuvo en hacer algunas consultas para las vacaciones de semana santa.

Re: Mi altillo

Querida Marta:

¡Qué alegría tener noticias tuyas!
Y, permíteme que te lo diga, ¡qué interesante eres! ¡Ja, ja!
Así que tu altillo viene a ser como el armario de C.S. Lewis.
¡Cómo me gustaría poder ver esas Biblias! Si no te es mucha

molestia, ¿podrías indicarme de qué versión son, quién las publica, etc.? Lo mismo digo de los himnarios, eso sí que me parece notable.
He estado fuera, por eso no he tenido oportunidad de escribirte.
Por cierto, debes saber que aún espero discutir contigo aquellos temas que teníamos pendientes. Tú dirás.
Quisiera hacerte notar una cosa. ¿No te parece más que curioso lo que te está ocurriendo de unos meses para acá? ¿No es hora de darse por aludida?
¿Crees que siempre vas a estar a tiempo?

Te mando un fuerte abrazo,
Enrique

Esta vez Marta no se enojó. Ella ya lo había pensado. Demasiadas casualidades; y todas en una dirección, no hacía falta ser especialmente lista para darse cuenta.

Cedió el ordenador a su hija y se acostó. No podía dormirse, pero no se levantó a buscar sus pastillas de valeriana. Necesitaba pensar, sabía que era importante.

Cuando Marta comenzó a deslizarse, allá en los primeros años de su juventud, por un camino que la alejaba de lo que había recibido de sus padres, sentía en su corazón el placer de la aventura y del riesgo, e incluso se consideraba valiente por atreverse a cuestionar lo aprendido y explorar nuevos senderos. Al ver que había cruzado muchas de las líneas que constituían los límites, tenía la vaga sensación de quedar expuesta a que un rayo le cayera encima, partiéndola por la mitad en cualquier momento como castigo divino por sus actos. Pero no ocurrió nada de todo eso. El mundo seguía dando vueltas como siempre había hecho, y en apariencia todas las cosas permanecían igual y así continuarían siendo: a pesar de todo, a pesar de ella misma, fueran cuales fuesen las supuestas transgresiones cometidas.

Sin embargo… sin embargo Marta sabía que no había llevado una vida sustancialmente mejor sin ese Dios de su infancia, ese Dios infinito en su grandeza y complejidad, pero a la vez asequible a una niña como la que ella había sido; un Dios claro y cercano, que no se escondía y que se dejaba encontrar.

Aquella noche, en su cama, Marta se sentía vacía y culpable por todos los errores cometidos. ¿Por qué se acercaban las personas a Dios? Por miedo a la muerte, por no encontrar sentido ni rumbo en la vida, por desesperanza… por saberse culpables. Culpables de acciones contra los semejantes, de omisiones, de ofensas… y de rechazar a cualquiera superior a uno mismo, en este caso al propio Dios.

Marta quiso parar ahí sus pensamientos. La oscuridad de la noche favorecía las reflexiones lúgubres y los juicios tenebrosos y prematuros. Con toda seguridad, como en tantas otras ocasiones, por la mañana vería las cosas de otro color, y cada asunto cobraría su justo valor. Necesitaba dormir, así que se recolocó en la cama, se arropó de nuevo, y abrió primero y cerró después los ojos con fuerza, para relajarlos inmediatamente y dejarse vencer por el peso de cada músculo, por el cansancio de su espíritu entero.

A la mañana siguiente, ya en el autobús, Marta seguía sintiendo el alma inquieta, desasosegada, de manera que sacó el libro de su bolso con la intención de enfrascarse en la lectura y dejarse llevar. Sin embargo tuvo la mala fortuna de que, en el asiento de delante, una muchacha joven juzgó que era el mejor momento para telefonear a un amigo, aun a esa hora tan temprana de la mañana, y regalarle un extenso monólogo a voz en grito durante todo el trayecto hasta la oficina.

Hola, ¿cómo estás? Yo bien, cuéntame cosillas… Yo en el trabajo, fatal, con aquella bruja que quiere despedirme… Sí, hombre, menuda soy yo. ¿Quiere guerra? La tendrá… Y la Blanca y la Lourdes haciéndole la pelota… Sí, y yo sola contra todos… Que le dije: que me voy de vacaciones, que me tocan cinco días aunque haya comenzado a trabajar aquí hace poco… Pues no sé, supongo que la ley estará de mi parte… Se enfadó mucho la bruja, sí, pero no creo que pueda echarme… Pero cuéntame tú… No, no, que tenía ya los billetes sacados y no podía quedarme hasta las seis, que era viernes… ¡Me puso una cara! Tenías que haberla visto…

No callará, no, pensaban Marta y la mayoría de los que viajaban, medio dormidos a aquella hora casi desnaturalizada en el autobús. Ella no podía leer; las compañeras de la limpieza no podían hablar, tanto gritaba la chica del móvil; la gente comenzó a lanzarse miradas significativas y medias sonrisas. Marta optó por guardar el libro en el bolso, llegó a su parada… y la muchacha continuaba gritando a todo el mundo la injusticia que sufría por parte de una jefa que, casi con toda seguridad y en opinión de todos los viajeros del autobús, haría muy bien despidiéndola, la verdad.

Al bajar, el aire fresco acarició amablemente la cara de Marta y se coló por su nariz, ayudándole a sacudir de su cabeza todo aquel torrente de palabras ofensivas. Caminó hacia la Agencia de la Administración procurando disfrutar por unos instantes del minipaseo que le suponía la distancia de dos manzanas de trayecto.

Cuando entró en su departamento, saludó con un *buenos días* a todos los compañeros. María José, su amiga, se detuvo un momento a contemplarla y, mientras Marta colgaba su chaqueta en el respaldo de la silla y guardaba el bolso en el cajón, se le acercó y le dijo:

— Hola, chica, ¿va todo bien?
— Sí, claro. ¿Por qué lo dices? —respondió Marta con expresión sorprendida.
— Porque parece que no has dormido mucho…
— Caramba, ¿tanto se me nota?
— Yo, que te conozco… —sonrió María José.
— Si te digo la verdad, estos días me está costando un poco dormirme, pues la cabeza me va un poco loca.

María José la miró a los ojos y dudó un momento antes de decir:

— Oye, yo estoy aquí para lo que haga falta, ¿eh?
— Sí, ya lo sé, gracias. Pero no pasa nada.
— Bien, bien —pareció que María José iba a añadir algo más, pero cambió de idea y fue a sentarse en su lugar.

Marta encendió el ordenador, preparó el bolígrafo y dispuso un expediente abierto sobre la mesa para su resolución, todo de manera mecánica, sin ser muy consciente de lo que hacía. Trabajó aquella mañana con el piloto automático puesto, hasta que llegó la hora del descanso.

Al salir a la calle, el día era soleado y cálido. Marta pensó que aquel invierno estaba resultando extraño, pues ya hacía días que el ambiente olía a excursiones de primavera, incluso en medio de la ciudad. Recordaba, de pequeña, desear con ilusión la primera excursión con los de la iglesia, después de haber estado todo el invierno casi sin salir. La montaña, allí en Bellaterra, cerca de la estación de tren y en una explanada al lado de un manantial de agua, guardaba sus juegos de equipo y competición, sus cantos con armónicas primero y con guitarras después, y las conversaciones y las risas de todas aquellas personas que fueron parte del escenario de su niñez.

Se dirigió al bar, escogió una de las mesas desocupadas pues en la suya había sentado un señor, y sacó su libro mientras le servían el café con leche y el cruasán. Se abrió la puerta y entró una ancianita, caminando despacio y con paso inseguro, acompañada de un muchacho joven. Éste buscó la mesa más cercana, diciendo:

– Abuela, ¿nos sentamos aquí? –la mujer debía de ser un poco sorda, a juzgar por el volumen de voz empleado por el chico.

Trabajosamente, la anciana se sentó. En lugar de intentar arrimar la silla a la mesa, el nieto directamente acercó ésta hasta su abuela.

– ¿Qué quieres tomar, abuela?
– No sé, no me dejan tomar gran cosa. Supongo que un café con leche… con sacarina, claro.
– ¿No quieres un bollo, una pasta?
– ¡Oh, querer, querer! Los quiero todos, pero no me dejan comerlos.

El nieto sonrió y le pidió un cruasán, y para él, lo mismo. Era uno de los menús de desayuno, que en ese bar resultaba bastante económico. Sobre la mesa tenían uno de los periódicos gratuitos. Al acercarse las Elecciones Generales, la portada estaba ocupada por uno de los candidatos.

– Abuela, ¿vas a ir a votar? –dijo el chico señalando el diario con la mano.
– Tu abuelo sí que votaba –la mirada de la anciana reflejó añoranza por un momento–. Y yo votaba lo que él me decía.
– Vaya, abuela. ¿Y ahora no vas a votar?
– En la residencia, ya ves, a quién le importamos…
– Abuela, si quieres yo te llevo a votar. Te vengo a recoger en coche y vamos.
– Psé…
– ¿A quién votarías, si fueras?

La mujer miró con interés a su nieto, y sonrió un poco, a juzgar por el movimiento de sus labios.

– ¿Yo? A Molero.
– ¿Sí? ¿A pesar de todo?
– ¿A pesar de qué?
– Pues de los apagones del verano, del desastre de los trenes, del fuego en el Hospital General… De la sequía… –el chico estaba tomando el pelo a la anciana.
– Toni, no me creas tan tonta. La sequía no es culpa de nadie, y lo demás es culpa de todos.

El nieto soltó una carcajada.

– Tienes toda la razón…

Marta intentó volver a su libro pero, al parecer, no iba a ser su día de lectura. Los gritos del muchacho para hacerse oír no se lo permitían; así que, cuando terminó de desayunar, salió a la calle. Necesitaba alzar la vista por encima de los edificios, buscando el cielo. Se ahogaba en esa ciudad absurda, en ese trabajo desangelado, en esa vida anodina. Comenzó a caminar con ímpetu, cruzando calles y más calles, hasta que cayó en la cuenta de que tenía que regresar a la oficina y estaba considerablemente lejos.

En las elecciones todo son palabras, pensaba Marta, mientras caminaba de vuelta a la Agencia. *Palabras que sabemos que son engañosas, o directamente mentiras. Y nos hacen escoger.* ¡Cuántas veces la mano se le acalambraba en el momento de introducir la papeleta en la urna! No se fiaba de nadie. Cada uno de los partidos le suponía un problema de conciencia por una razón u otra. Y jamás sintió que alguno de los candidatos la representara. Más bien al contrario: sabía que los políticos vivían a su costa, gestionando sus haberes principalmente para sus intereses personales, desde arreglar el futuro de sus familias particulares hasta darse buenos banquetes, por ejemplo, inimaginables para los trabajadores. En el tiempo que les sobraba, en ocasiones trabajaban para el país…

A pesar del sol, a pesar del cielo de un azul intenso, a pesar incluso del olor a primavera, el día fue oscuro para Marta. Era consciente de la vacuidad de las cosas que la envolvían, de la apariencia de movimiento y de rumbo que no conducía a nada, del sinfín de trampas vistosas para distraerla de las cuestiones importantes.

Cuando finalmente llegó a casa aquella tarde, ya antes de comer se tomó dos pastillas de valeriana. Y, en su momento, procuró hacer un poco de siesta y descansar. Al levantarse se ocupó de diversas tareas de la casa, para distraerse y no pensar demasiado y, finalmente, comenzó a preparar la cena.

La ventana de la cocina estaba ligeramente abierta, ya había oscurecido, y Marta removía con cuidado el sofrito. Los ojos se le llenaron de lágrimas. Siempre le ocurría cuando utilizaba cebolla para cocinar, pero curiosamente ese ingrediente no estaba en la sartén que ella estaba atendiendo. Detuvo la mano, dejó la cuchara de madera en un plato y apagó el fuego. Se quedó quieta, contemplando la sartén, y finalmente abrió un poco más la ventana para que entrara el aire fresco. Salió de la cocina y apagó la luz.

Entró en su cuarto, encendió la lamparita de la mesilla y cerró la puerta. Se acercó a la cama, recolocó la alfombra del suelo y se arrodilló, con los codos apoyados en el colchón, con la cabeza entre las manos. De pequeña, con sus padres y sus hermanas, muchas veces oraban alrededor de la cama de matrimonio después de haber escuchado una historia bíblica antes de acostarse.

Marta comenzó a hablar, con voz queda, segura, pero no mucho más alta que un susurro:

Señor, ¿me buscabas?
Me rindo. Has usado lo que has querido para acercarme a ti, y aquí estoy.
Miro atrás, a lo que ha sido mi vida, y sé que he obrado mal. En muchas cosas. He sido orgullosa y rebelde, y te he puesto mil excusas. Así que te pido perdón por mis pecados.
Quiero poner, a partir de este momento, mi vida en tus manos, para que la dirijas de la mejor manera, pues yo he sido bastante torpe en este tema.
Quiero, también, agradecerte todas las cosas buenas que me has dado hasta hoy, sobre todo mi Sara, y que la hayas guardado en todo momento.
Y te agradezco que me hayas concedido tiempo para volver a ti.
En el nombre del Señor Jesús.
Amén.

XII

Claves

Claves

Marta salió de su cuarto después de haber estado un buen rato llorando… de felicidad. Sabía lo que había ocurrido en su corazón porque ahora tenía paz. Fue a refrescarse la cara al baño, y en el espejo descubrió una mirada alegre y tranquila y una sonrisa amplia y auténtica.

Sara aún no había llegado y, antes de volver a la cocina para terminar de preparar la cena, buscó aquellas Biblias antiguas que había encontrado en su altillo, y que tenía de momento amontonadas en la mesita del pequeño salón. Cogió con cuidado la más vieja, la del siglo XIX. No era la más grande. Sus tapas eran marrones y estaban despegadas casi por completo. Las hojas mostraban el desgaste producido por manos ávidas que, mucho tiempo atrás, también buscaron las palabras dichas por el propio Dios. Marta se sentó en el sofá y colocó el libro sobre su mano izquierda, encima de la palma abierta apoyada en su regazo, y lo abrió con la derecha. Dejó pasar unas cuantas hojas hasta que su vista se detuvo en un texto subrayado. La tinta era de color lila y estaba ligeramente extendida, quedando las líneas un poco difuminadas. Leyó:

"⁶⁷ Dijo entonces Jesús a los doce: ¿Queréis vosotros iros también?

*⁶⁸ Y respondióle Simón Pedro: ¿Señor, a quién iremos? Tú
tienes palabras de vida eterna.
⁶⁹ Y nosotros creemos y conocemos que tú eres el Cristo, el
Hijo del Dios viviente."*

Marta dejó la Biblia sobre sus rodillas para poder acariciar
con la palma y con los dedos, como tenía por costumbre, aquellas hermosas palabras. *Éstas sí son verdaderas palabras mágicas, que
pueden cambiar vidas. Y son las que yo necesitaba oír. Gracias por re-
petírmelas, Señor.*

Cuando llegó Sara aquella noche, Marta ya tenía la mesa
dispuesta y la cena preparada. Había encendido una vela azul, a
juego con el mantel, y puesto los vasos largos de fiesta.

– Mamá, ¿qué pasa? ¿Qué celebramos hoy?
– Que la cebolla que no he puesto en el sofrito me ha hecho
  llorar.

Sara miró con detenimiento a su madre, y vio que le sonreía.

– Mamá, ¿qué dices?
– Cosas mías, cosas mías…

La chica observó de nuevo a su madre.

– Te brillan los ojos, mamá. ¿Qué pasa?
– Algo maravilloso. ¡Maravilloso!

Sara estaba desconcertada. Finalmente se le iluminó el rostro y preguntó:

– ¿Te has enamorado?

Marta sonrió con alegría y contestó:

– Aunque te parezca mentira, me ha ocurrido algo muchísimo mejor que eso.
– Mamá, déjate de tanto misterio y dime qué pasa.
– Te lo explicaré mientras cenamos. Venga, cámbiate y ven a la mesa.

Durante la cena, Marta le contó a su hija, de la mejor manera que supo, lo que le había ocurrido. Sara escuchó con atención y no pudo dejar de notar la expresión radiante y serena de su madre. Pero la chica se retiró pronto a su cuarto sin hacer ningún comentario.

Al día siguiente, cuando Marta se dirigía al trabajo, contempló desde el autobús las puntiagudas cúpulas de la Sagrada Familia iluminadas vivamente por la luz anaranjada de los primeros momentos de sol. Esa mañana no leyó durante el recorrido hasta la oficina porque quería saborear esa nueva alegría que inundaba su espíritu.

En cuanto calculó que sus padres estarían ya levantados, les llamó para invitarse a comer. Aunque el barrio de Montbau había cambiado, aún conservaba detalles muy singulares; como el manantial de agua que, desde las entrañas de la sierra de Collserola, se encontraba desviado a uno de los parques más altos de la empinada calle Poesía. De este modo los asiduos no tenían que escalar montaña arriba para recogerla. Marta recordaba dónde se encontraba la fuente cuando ella era una niña, en un pequeño claro de la montaña, donde en la actualidad se levantaba la escuela pública. Suponía que se llevarían a cabo concienzudamente los controles de la calidad del agua, pero ciertamente le producía cierto recelo un caño del líquido más preciado surgiendo tan cerca de la civilización.

Antes de llamar al timbre de la portería aquella tarde, recordó a un abuelito de pelo muy blanco y gafas de pasta negra, casi como las que se pusieron de moda en tiempos recientes, que cuarenta años atrás se sentaba en el larguísimo banco de la plaza y, si alguno de los críos conseguía pipas de girasol, las descascarillaba con las manos para repartirlas entre todos y que ninguno se atragantase.

Su padre le abrió la puerta: Marta sintió el aroma de su primer hogar, y le pareció que, de una manera especial, después de muchísimo tiempo, estaba volviendo a casa. No podía dejar de sonreír al pensar que sus padres iban a ponerse sinceramente contentos con lo que venía a decirles.

– Caramba, hija. ¡Qué risueña estás! –notó su padre.
– Oh, papá –dijo mientras le daba un beso–. ¡Es que tengo una noticia muy buena que daros!
– Pues pasa y habla, chiquilla.
– Vamos a la cocina, con mamá.
– Pues vamos, vamos –el señor Jaume estaba impaciente.

Cuando Marta ya hubo saludado a su madre, no pudo esperar más y dijo:

– Tenéis que saber que anoche me convertí.

Sus padres abrieron los ojos como platos.

– ¡Pero bueno! ¡No me miréis así! ¿Es que no habéis estado orando por esto mismo durante muchos años? Pues ayer entregué, por fin, mi vida al Señor.

María, la madre de Marta, emitió una especie de sollozo hipado y comenzó a llorar ruidosamente, mientras cubría su cara con el delantal que llevaba puesto para cocinar. Su padre extendió los brazos y, con los ojos llenos de lágrimas, abrazó a su hija con fuerza.

El tiempo de la comida fue alegre para todos, y la señora María llamó a Raquel y Eva, sus otras dos hijas, para que supieran la gran nueva. Evidentemente se presentaron en la casa en cuanto pudieron, la una con un precioso ramo de flores y la otra con pastelitos para la hora del café. Fue un día de verdadera fiesta familiar.

Al salir del metro, cuando regresó a su casa, Marta se fijó en la expresión de tristeza de un hombre quizá paquistaní, con sus pantalones blancos y su camisa larga del mismo color. El desarraigo y la soledad pesaban como losas insoportables en muchas de las personas que habían llegado de otros países. Los ciudadanos latinos eran más alegres, quizá porque la coincidencia del idioma les hacía las cosas mucho más sencillas. Muchos de los chinos, también. Pero de los otros nuevos vecinos del barrio, los hindúes eran los que se mostraban más tristes. En los magrebíes a Marta le parecía ver cierta ira contenida, y en los subsaharianos, resignación. Sin embargo y afortunadamente, por lo general se salvaban los niños, que eran capaces de vivir la alegría de la infancia en casi cualquier lugar y a pesar de las circunstancias más adversas.

Marta sabía que todas las tristezas y melancolías no eran iguales. Las había ardientes, llenas de desesperación, y las había frías, como la de la soledad, el abandono y la muerte; las había ácidas, que escocían, como las producidas por los desengaños, los fracasos y los errores, y las había pastosas, pegajosas, que invadían poco a poco el espíritu y el cuerpo, incapacitando para el movimiento. Sabía de tristezas que casi aniquilaban el espíritu, por abusos y atropellos. Pero las había también dulces, benignas, como las que resultaban de la separación temporal de un ser querido, del que se sabe que nos ama y volverá.

Aunque Marta era consciente de que no se vería libre de las penas y el dolor en su nueva vida, no ignoraba tampoco que todo podría ser distinto, porque cualquier dificultad que se presentara, fuese la prueba que fuese, ya no tendría que afrontarla sola; lo cual era ciertamente un gran consuelo. Y contempló el gran ramo de hermosas flores que le había regalado su hermana, que llevaba recostado en el brazo mientras caminaba, justo antes de disponerse a buscar las llaves para abrir su portal.

Aquella noche Marta quiso enviar un correo. Se puso frente al ordenador y escribió:

Título: Te alegrará saber…

Querido Enrique:

Permíteme que sin más preámbulos te diga que la noche pasada acepté al Señor Jesús en mi corazón y le entregué mi vida. Hoy ha sido un día de alegría plena, pues ya puedes figurarte cómo se han puesto de contentos tanto mis padres como el resto de la familia, que es creyente.
Quería que lo supieras.
Deseo que estés bien.

Un abrazo,
Marta

No tardó en recibir la respuesta:

Re: Te alegrará saber…

Querida Marta:

¡Qué alegría me has dado! ¡No te quepa duda de que es la mejor decisión de tu vida y la más importante!
Debo decirte que te tenía presente en mis oraciones.
Iba a escribirte en breve porque voy a viajar a Barcelona a mitad de marzo, para Semana Santa, y me encantaría verte.
Hoy me gustaría despedirme enviándote un fuerte abrazo, pero tan fuerte que te haga crujir los huesos (como es electrónico, no creo que tengas inconveniente en aceptármelo): ¡bienvenida!

Hasta pronto,
Enrique

Marta se sentía feliz y tenía ganas de cantar y de reír. Quería decírselo a María José, que también se alegraría por la noticia y ese día no había ido al trabajo porque no se encontraba bien.

Durante los días que siguieron, Sara observaba a su madre. Marta lo sabía y dejaba pasar el tiempo. Quizá ella comprendería en algún momento qué era lo que había cambiado.

– Mamá –dijo una noche–, te aseguro que me tienes desconcertada.

Estaban sentadas en el sofá, en el largo intermedio de una de sus series favoritas. Sara había bajado el volumen del televisor.

– ¿Por qué, hija?

La joven tardó unos instantes en contestar.

– Mamá, me alegro mucho de verte tan contenta últimamente. Parece que te hayas librado de una pesada carga. Y se te ve feliz. Feliz desde dentro, no sé cómo expresarlo. Y no entiendo del todo a qué es debido. Sí, ya sé, lo de Jesús en tu vida y todo eso… Pero no deja de sorprenderme que con lo reacia que eras hace apenas unas semanas a todo lo que sonara a iglesia, ahora te hayas vuelto así.
– ¿Así cómo, Sara?

La chica miró a su madre con franqueza. Con la mano que no sostenía el mando del televisor apretó la de su madre.

– Así… de feliz, supongo.
– Pues alégrate tú también, y procura descubrir la clave, Sara.

Callaron un momento y volvieron las cabezas hacia el televisor. Entonces Marta dijo:

– Oye, ¿crees que sería posible reunir algún día de los de Semana Santa al equipo de investigación?
– Supongo que sí. ¿Por qué?
– Es que va a venir mi erudito, y tiene interés en conoceros, porque está convencido de que la traducción del texto encriptado la ha hecho alguno de vosotros y le encantaría charlar un rato.
– Mamá, *tu* erudito ¿vendría a casa, a nuestra casa?
– Sí, ¿por qué no? Sólo un rato. Piensa que él es profesor y le ha parecido brillante la redacción que hizo el misterioso traductor. También le gustaría saber cómo se dio cuenta de cuál era la clave para descifrarlo. Y si no ha sido ninguno de vosotros quien puso el texto en nuestro buzón… igualmente estará encantado de conoceros.

Marta guardó un momento de silencio y añadió:

– Creo que en realidad es una oportunidad para tus compañeros y para ti de conocer a un escritor y profesor muy reconocido. Da clases en la Complutense. De Historia Contemporánea.
– Ah.

Sara subió el volumen, pues ya había terminado el intermedio. Sin embargo, aún preguntó:

– Mamá: ¿ya es *tu* erudito?

Marta sonrió abiertamente.

– No, hija, no. Pero ¿quién sabe lo que puede suceder en el futuro?
– ¡Mamá! –exclamó Sara mientras daba una palmada en el dorso de la mano de su madre y comenzaba a reír.

Al cabo de un rato, en el siguiente intermedio, Sara comentó a raíz de una escena de la serie:

– ¡Qué distintos son estos americanos! Ahora nosotras deberíamos tener cada una en la mano un bote enorme de helado y una cuchara para irlo tomando enterito, mientras que las probabilidades mediterráneas más reales son: palomitas de maíz, pipas de girasol, quizá alguna galleta… ¡o pan con *Nocilla*, como la tía Raquel!

Madre e hija reían con complicidad y en buena armonía. Marta estaba muy agradecida.

Barcelona, como muchas de las ciudades que tienen una historia larga, es un lugar de contrastes. Conviven piedras de cientos de años, incluso dc miles –desde la época romana–, con actualísimos edificios de diseño. Marta siempre se fijaba en los balcones. Los de las casas nuevas casi indefectiblemente aparecían vacíos o, como mucho, mostraban un par de sillas y una mesa de terraza a modo de ornamentación. Sin embargo lo curioso, lo que llamaba la atención, era ver en medio de paredes grises, desconchadas, sin ninguna gracia, balcones llenos de plantas, de tiestos con flores cayendo en cascada, trepando por las paredes. Si su vocación hubiera sido la fotografía, tendría ya registradas esas pequeñas maravillas de esperanza.

Y Marta se sentía así, como un balcón lleno de flores de colores, con renuevos vigorosos en medio de lo que había sido hasta la fecha una vida gris y desconchada, con manchas de humedad y grietas. Poco a poco se irían reparando los desperfectos, y ella procuraría adornar todas las ventanas.

El sábado en que comenzaron las vacaciones escolares de Semana Santa, a primera hora de la tarde, el equipo de investigación en pleno se encontraba en casa de Marta ultimando los detalles para el café. Las tazas, las cucharillas, las servilletas, todo estaba dispuesto sobre un hermoso mantel de hilo. La cafetera, preparada en la cocina para encender el fuego en cuanto sonara el timbre anunciando que Enrique Alonso ya subía. Dos bandejas exhibían deliciosas pastas y galletas.

Los amigos de Sara habían accedido al encuentro con el profesor, y Marta trataba de adivinar quién tenía más pinta de ladrón de fotocopias, quién parecía más romántico o cuál de todos ellos tenía cierta expresión de culpabilidad en el rostro. En realidad se les notaba un poco nerviosos, aun en medio de sus bromas y sus risas.

Cuando llegó el momento, Marta abrió la puerta.

– Bienvenido, Enrique. Me alegro de verte. Adelante.

El erudito se puso ligeramente colorado, entró y saludó también a Sara y a sus amigos.

– Es un placer para mí conoceros a todos –dijo Enrique Alonso–. Sobre todo porque creo que alguno de vosotros tiene un talento especial para las letras.

Marc y Silvia se miraron un brevísimo instante. Marta hizo las presentaciones y comenzaron a sentarse alrededor de la mesa. El profesor había traído *tocinillos de cielo* para acompañar. Superados los primeros momentos de expectación la conversación giró sobre los estudios que realizaba cada uno, el accidente y la excelente recuperación de Sara, los intereses para el futuro, el trabajo de don Enrique.

Marta observaba que el profesor parecía hallarse en su elemento. Disfrutaba de la energía de los jóvenes y se interesaba por sus aspiraciones de manera personal.

– Tengo ganas de felicitar a un excelente traductor, pero no sé quién es –dijo Enrique Alonso en un momento dado.

Se produjo un breve silencio hasta que Silvia indicó con satisfacción en la voz:

– Pues debes felicitar a Marc: ¡él es el artista!
– Entonces déjame expresarte mi más sincera enhorabuena –la voz del profesor era honesta–. El texto presentaba una

cierta dificultad, y en la mayoría de los casos has clavado el sentido y has trabajado bellamente las expresiones.
– Gracias –dijo un Marc sonriente, aunque un tanto azorado.
– ¡Marc! –exclamaron casi simultáneamente Sara, Dani y Guillem.
– Y tú, Silvia, ¿lo sabías? Pues vaya con las amigas… –añadió Sara acto seguido.

Hubo una pausa, mientras esperaban que Marc se explicara:

– Bien… Sí… A mí me interesaba el misterio… y luego me interesó el texto. Estuve muchas horas trabajándolo, pues mi nivel de griego no es, de hecho, tan alto. En realidad, estuve prácticamente todas las vacaciones de Navidad dale que te pego para descifrar aquello.
– ¿Griego? –preguntó Guillem, adelantándose a los demás.
– Sí, en realidad estaba escrito en griego, pero con los caracteres árabes sustituyendo a los griegos.

Las caras de todos mostraban el interés que suscitaban estos detalles.

– ¿Cómo te diste cuenta –preguntó Enrique Alonso– de que el texto se correspondía con palabras griegas?
– Aquí he de confesar que el mérito es de Silvia, ella se percató del tema.

Todos los rostros se volvieron hacia la muchacha.

– Mmm… No va a reportarme ninguna medalla lo que os voy a decir –comenzó a explicar Silvia–, porque fue una deducción sencilla. Lo primero que hice, supongo que como todos, fue buscar en Internet un alfabeto árabe… y familiarizarme con los símbolos. Dado que el texto que teníamos estaba escrito de izquierda a derecha, y no como en árabe que va al revés, tuve la esperanza de que fuera español. Pero no, no iba a ser tan fácil, claro.

– Diles lo que identificaste –dijo Marc.

– Sí, a eso voy. Pensé dos cosas: primera, que el único idioma aparte del castellano que sabíamos que manejaba Laureano (que era el autor más probable), era el griego. Segunda, que puestos a sustituir unos signos por otros, era muy probable que fuera en orden alfabético, o inverso, pero seguramente no de manera aleatoria. ¿Y si la primera letra árabe se correspondiera con la primera griega, la *alfa*? Sustituí las *alif* por alfas… y observé. Me quedaba una suelta, en medio de dos palabras… que podía ser un pronombre.

– Me estás impresionando, Silvia –dijo Guillem.

La chica le miró, casi condescendiente.

– ¿Sigo o qué?

– ¡Sí, por favor! –casi suplicó Dani.

– Numeré las letras de un abecedario y las del otro, comenzando desde el principio, y probé a sustituir unos signos por otros en los dos primeros párrafos, que eran los que teníamos. Por cierto: ¡qué difíciles son de distinguir las letras árabes! Y más escritas a mano.

– A mí, mirando el texto –dijo Sara–, me costaba mucho ver dónde empezaba una letra y dónde la siguiente. Debió de ser trabajo de chinos…

– ¡De árabes! –intervino Guillem de nuevo, y añadió bromeando– Y ahora me estás impresionando mucho más.

– ¡Es que yo soy algo más que una cara bonita! –replicó Silvia.

– Déjala continuar, venga –dijo Marc.

Silvia les miró a todos para cerciorarse de que tenía su atención y prosiguió:

– Y entonces… ¡bingo! Me pareció identificar la palabra *cronos*, que significa tiempo; dos veces estaba en la primera línea. Me dije: *¿es posible?* La probabilidad de que siendo la clave equivocada diera una palabra con sentido me parecía remota. Busqué otra palabra de las largas. Una empezaba con *mega*, grande. Hice todavía una comprobación más… y llamé a Marc, a ver qué le parecían mis deducciones, porque estaba casi segura de que encajaban. En fin, a mí no me fue mal el griego en el instituto… pero el as era Marc.
– Cuando vi que, efectivamente, la clave era ésa –prosiguió Marc–, me dio como un arrebato por desenmarañar todo el texto. Tener todo el escrito en griego no fue difícil…
– Lo difícil fue traducirlo entero, ¿no? –preguntó Enrique Alonso.
– Eso es –contestó el muchacho.

En este punto intervino Sara, entre sorprendida por lo que estaba escuchando e indignada:

– ¿Entonces tú me robaste las fotocopias, Marc?
– ¡Hombre, Sara!… robar, robar…
– ¡Pues a ver cómo llamarías tú al hecho de que me quitaras la carpeta con el texto de dentro de la mochila!

Sara continuó, sin dar tiempo al muchacho para que respondiera:

– ¿Y cómo me la robaste? ¿Dónde?

– ¡Y dale con lo de robar!... Estábamos en el bar... y fuiste al baño.

– ¡Chica –intervino Silvia–, es que se lo pusiste bien facilito!

– No, si aún la culpa será mía... –agregó Sara, pero replegando ya la protesta y relajando la expresión.

– Soy consciente –dijo Marc después de una breve pausa– de que debía haber informado al equipo de que ya podíamos llevar adelante la cuestión de la traducción. Pero en cuanto comencé con el primer párrafo me intrigó tanto el contenido que pensé aportar de entrada dos o tres párrafos más ya traducidos. Luego tuvo lugar el accidente... y después me sabía mal no haber compartido el descubrimiento... –de nuevo se detuvo–. Y cuando ya me veía atascado con este tema, a Silvia se le ocurrió lo de enviar la traducción a modo de regalo en el sobre lacrado... y todo eso.

– ¡Caramba, Silvia! ¡Eres todo un cerebro! –exclamó Sara, entre la admiración y el reproche.

– ¡Lo que yo decía antes! –dijo Guillem riendo.

– Marc me pidió que no te dijera nada... Además, todos parecíais haber olvidado el tema...

– Yo estuve a punto de irme al otro barrio, no sé si lo recuerdas... –dijo Sara.

Pareció que en ese momento todos volvían a recostarse en el respaldo de sus sillas. Entonces Enrique Alonso preguntó:

– Marc, ¿y qué te pareció el texto que encontraste? ¿Era lo que te esperabas?

– En realidad yo no me esperaba nada. Los compañeros aquí presentes han leído probablemente más novelas de enigmas que yo... y tenían expectativas en otro sentido. A mí, las

ideas que iba exponiendo el autor, es decir Laureano, me
parecían asombrosas.

– ¿Por qué? –intervino Sara, que no acababa de entender
dónde radicaba lo excepcional del escrito.

– Oh, Sara. ¡No me digas que no te has dado cuenta! –replicó
Marc, moviendo los brazos expresivamente.

– Pues no.

– ¿Habías oído alguna vez explicar la historia de la Creación y la de Jesús así? ¡Parecía cobrar sentido! En toda
mi vida, que ya sé que no es muy larga, de acuerdo, no
había tenido ocasión de leer las ideas que allí se vertían.
Que a mí me gusta la Filosofía, Sara, y aquello me parecía distinto.

– A mí sólo me pareció un rollo sobre religión –dijo Guillem,
encogiéndose de hombros.

Volvió a hacerse un momento de silencio. Finalmente
Sara dijo:

– Sé que no tiene que ver con lo que estamos hablando ahora,
pero quizá tú sabes, Enrique, si en otras culturas también se dan
este tipo de novelas que quieren cargarse los fundamentos de
la Religión, como ocurre aquí con todos estos misterios que se
desvelan y que echan por tierra a Jesús y al cristianismo.

– Las novelas son novelas –respondió Enrique Alonso hablando con lentitud–, es decir, ficción. Si alguno las cree
como si se tratara de hechos históricos comprobados, co-
mete un error de entrada. En cuanto a lo de si en otras culturas, en medio de otras religiones, se produce este mismo
fenómeno de querer atacar los cimientos, no te lo sabría
decir. Se me ocurre que en algunos ámbitos no, ya que la
discrepancia, incluyendo la religiosa, se sigue pagando con

la vida. Sin embargo… si me permitís, me gustaría hacer un par de consideraciones o tres.

Como fuese que todos se miraban sin decir nada, Marta invitó:

– Sigue, por favor, Enrique.
– Bien, a lo que voy. Se trata de conceptos elementales y claros. El primero sería referido a que, si la cuestión es importante (o mejor dicho, las cuestiones: la de la existencia de Dios, la vida eterna y la posible relación entre el ser humano y el Creador), no la deberíamos ignorar ni decidir de oídas. Voy a haceros una pregunta: ¿habéis leído El Quijote?

Alguno respondió que sí, la mayoría que no.

– Pues bien –prosiguió Enrique Alonso–. Sólo el que lo haya leído puede hablar con un mínimo conocimiento de causa. Los demás deberían callar, porque no saben de qué va ni si son ciertos los comentarios que les llegan –el profesor tomó aire–. ¿Quién de vosotros ha leído la Biblia?

Enrique Alonso, de nuevo, se detuvo.

– ¿Sabéis que tiene un principio y un final? Ya imagináis que no es de recibo coger un solo texto al azar, sacarlo de contexto y opinar. Y mucho menos descartar de un plumazo cualquier cuestión que afecte a nuestra vida. Creo que la idea queda clara.

Todos callaban. Enrique Alonso siguió.

– Os veo muy serios. En todo caso me gustaría que en algún momento meditarais sobre esto –les sonrió–. Ahora yo os voy a hablar de un enigma, de un auténtico misterio. Y os daré la clave también. Si lo que cuenta la Biblia es cierto, ¿puede comprenderse de alguna manera que, después de desafiar nosotros, los humanos, insignificantes por definición delante del Creador, al infinito Dios, Él no se desentendiera de la raza humana, o diera una patada definitiva a este mundo y lo estrellara en alguna parte remota del Universo? ¿Puede entenderse esto? ¿Qué hubiéramos hecho nosotros?

Todos los presentes seguían con atención las palabras del profesor.

– Dependería de la paciencia de cada uno… –respondió Dani, que había estado prácticamente callado hasta ese momento.
– Sí, en nuestro caso podríamos hablar de paciencia… o de otro factor, que es el que, según la Biblia, constituye la clave de este misterio que os acabo de proponer: el Amor; el Amor de Dios por su criatura.

Enrique Alonso calló, y los demás permanecieron en silencio de nuevo. Finalmente añadió:

– Y hasta aquí mis reflexiones para hoy –hizo un gesto amplio con los brazos, y sonrió alegremente.

Marta, constatando que esta parte de la conversación había finalizado, ofreció más galletas, café o leche a quien quisiera. Pero Sara aún tenía algunas lagunas sobre todo el asunto, y muy posiblemente se hizo portavoz de más de uno cuando preguntó:

– A ver, mamá, a ver si lo entiendo bien: Laureano tenía un hermano pequeño que se llamaba Francisco, al que un día escribió una carta… que luego no envió.

– Eso es –respondió Marta–. He estado dándole vueltas a esta cuestión, porque se me ocurrió que los papeles que nosotros hemos tenido entre manos pudieran ser un borrador, y que efectivamente enviara la carta.

– Pero no tenía ni tachaduras ni ninguna anotación que indicara que ese texto no fuera el definitivo –intervino Marc–. A mí más bien me parece que, lo escribiera donde lo escribiera primero, ésa era la copia buena. Y, por alguna razón, no la envió…

– Ya –dijo Dani–. Pero eso no deja de ser extraño, pues parece que para Laureano el contenido es de vida o muerte, casi. ¿Por qué no iba a mandar, entonces, la carta?

Todos miraron a Marta esperando que ella aportara alguna pista.

– Lo más probable –dijo–, y ésta es la conclusión a la que he llegado yo, es que esperara conocer a qué dirección enviarla. Su hermano Francisco, por lo que me ha contado mi madre, se había marchado de casa unos meses antes de que estallara la guerra en busca de aventura. Se ve que era un muchacho inquieto. Discutía frecuentemente con Laureano cuando éste le amonestaba después de que murió su madre y, en aquella época, andaba con compañías que le llenaron la cabeza de pájaros, por decirlo de alguna manera. Lo cierto es que se fue. Luego, por unos vecinos de Valladolid, supieron que se había enrolado como voluntario en el ejército. Pero nunca tuvieron noticias de él.

– Caramba –comentó Silvia como para sí.

– Y hay que tener en cuenta –retomó Marta– que mi abuelo Laureano murió despedazado por una bomba lanzada desde unos aviones sobre el patio de su casa –la mujer tuvo que hacer una pausa–. Es posible que todo esto ocurriera mientras aún no había tenido tiempo de enviar la carta.

– ¡Jo!, qué fuerte… –exclamó Guillem impresionado.

– Pero mamá –volvió a intervenir Sara–, sigo sin entender por qué nunca se supo nada más de Francisco…

– A veces ocurría, en la guerra, que se perdía el rastro de un familiar para siempre…

– Sí, es cierto –dijo Enrique Alonso–. Cuando fallecía alguien, en principio se comunicaba a la familia, y en ocasiones también cuando se caía herido. Pero la verdad es que los combates no son algo ordenado, sino absolutamente caótico, donde no sólo pueden perecer las personas desapareciendo físicamente en pedazos, sino también los registros de los batallones y compañías… y luego nadie puede dar fe de quién estaba allí y no volvió. En muchas ocasiones las familias, al no tener confirmación de la muerte de su pariente, esperaron durante años su regreso, pensando que quizá había conseguido huir y que tarde o temprano volvería.

– Eso es lo que ocurrió con mi familia –corroboró Marta–. Sin embargo, visto lo visto, lo más seguro es que Francisco no supiera que su hermano Laureano hubiera muerto y, desde luego, Laureano no supo ya nada de Francisco, puesto que murió mucho antes de acabar la guerra.

Se hizo un pesado silencio alrededor de la mesa. Cada uno debía estar visualizando en su mente lo que se acababa de contar, y las expresiones de sus rostros mostraban que no era nada agradable.

– Pero –dijo Guillem–, ¿por qué escribir tan enrevesadamente la carta, encriptada y en dos idiomas?

– Hombre, Guillem –dijo Marc–. Eso casi te lo contestaría yo: para darle más emoción a la cosa, para intrigar a Francisco.

– Seguramente ésa es la explicación –añadió Marta–, pues la abuela me ha contado muchas veces que Laureano y Francisco andaban siempre con adivinanzas, problemas, cuestiones de lógica... Se ve que Francisco era muy inteligente y solía resolver todos los enigmas.

Enrique Alonso tomó una galleta de la bandeja y, poco a poco, todos volvieron a dedicarse a la merienda que tenían delante.

– Veo que habéis colgado el puzzle de los caballos... –dijo Silvia, rompiendo las meditaciones de la mayoría–. Ha quedado precioso.
– ¿Sabes que lo han hecho entre todos –indicó Marta a Enrique–, mientras la señorita se recuperaba de la pierna?

XIII

El futuro

A mitad del mes de abril había caído sobre la ciudad toda la primavera del mundo. Podría decirse que los alrededores del trabajo de Marta estaban literalmente tomados por turistas de aspecto nórdico. Paseaban en mangas de camisa, pantalones cortos y sandalias y, aunque ciertamente la temperatura era muy agradable, la opinión general de los autóctonos se mantenía en la línea de que no había que exagerar.

En ocasiones al salir de la oficina a mediodía, según soplara el viento, olía a carne a la brasa. A Marta se le hacía la boca agua, con el agravante de que aún le quedaba un buen rato hasta llegar a su casa y poder comer. A esa hora, pasear por una zona llena de buenos restaurantes constituía todo un suplicio.

Lo mejor de la ubicación de la oficina, sin embargo, era el encontrarse en el centro mismo de las mejores y más grandes librerías de la ciudad. Cuántas veces, en el tiempo del desayuno, Marta había entrado en aquella especie de salas del tesoro para hojear, buscar, tocar, oler los libros que allí se guardaban. Fue un martes cuando, al salir de la librería que se encontraba justo al lado de la Agencia, se dio cuenta de que estaban preparando el largo entarimado para la gran fiesta de los libros, ya que al día siguiente era Sant Jordi.

Los Papeles del Abuelo

Título: Una de las mejores fiestas del año

Querido Enrique:

Supongo que conoces el modo en que en Cataluña se celebra el día de Sant Jordi. Hoy todas las librerías y muchas otras entidades han estado ultimando los preparativos para la Fiesta del Libro. Sé que es con fines comerciales, pero ¿qué celebración, en la actualidad, no lo es?

A mí me parece un día maravilloso: se regalan libros, se regalan rosas de todos los colores imaginables… y es primavera. ¿No te parece un conjunto casi perfecto? He tomado el programa de los autores que vendrán a firmar sus libros al lado de mi trabajo. Mañana voy a procurar salir a desayunar en el momento en que pueda encontrar a alguno de mis escritores favoritos, por lo menos para verle la cara de cerca. Incluso puede que coja la cámara de fotos y ejerza un ratito de reportera. Comeré por allí cuando salga y pasearé toda la tarde rodeada de literatos, de mis conciudadanos, y de los hinchas de no sé qué equipo inglés que tiene partido con el Barça.

El ambiente en las calles suele ser de fiesta, con la particularidad de que es día laborable. Todo el mundo pasea y ahí, en el centro, apenas se puede caminar por las aceras.

¡Qué lástima que no puedas disfrutarlo! Aunque tengo entendido que estáis comenzando a copiarnos…

En los colegios se celebran los Juegos Florales, esos concursos donde los alumnos presentan sus escritos en la modalidad de prosa o poesía, y generalmente en los dos idiomas que hablamos por aquí (catalán y castellano). Los más pequeños presentan dibujos y cómics…

Bien, nada más. Sólo quería darte un poco de envidia. Un saludo y un fuerte abrazo,

Marta

La correspondencia electrónica con Enrique Alonso se había vuelto cada vez más frecuente, tanto, que podría afirmarse que prácticamente era diaria.

Re: Una de las mejores fiestas del año

Querida Marta:

Nunca pensé que fueras tan mala persona como para escribirme con el único motivo de darme envidia. ¡Ja, ja! Tomaré nota del dato...
Que sepas que yo mañana también firmaré libros aquí durante la mañana pues, efectivamente, os estamos copiando.
¡Si la mitad de los libros que se venderán mañana fueran leídos y, de esa mitad, la mitad fueran buenos libros, merecería la pena sin lugar a dudas contagiar con el espíritu de esta fiesta al mayor número posible de ciudades! (Mis libros son buenos, que lo sepas también, je, je...).
Y lo que me parece fantástico son los concursos literarios de las escuelas...

Anda, un beso.
Enrique

Cada noche, antes de acostarse, Marta leía con sumo interés el redescubierto libro de las palabras mágicas. Y se conmovía al constatar que, si bien estaban escritas en otra época, miles de años antes, eran absolutamente válidas para su propia vida en el siglo XXI.

A Marta no le costó mucho levantarse al día siguiente. Ya clareaba antes de salir de casa mientras tomaba su café con leche en la cocina y, a través de los cristales biselados, contemplaba el suave rosado del amanecer. En la avenida, las floristas madrugadoras tenían ya montadas sus paradas con las rosas para la jornada.

Cada año las había de más colores. Y los autobuses, ese día, circulaban con los banderines de las fiestas importantes, aunque todo el mundo trabajaba y había colegio para los niños.

Yendo hacia la oficina, al bajar del autobús, Marta se preguntó si las tiendas de moda y los centros de estética, que también solían poner en Sant Jordi una miniparada de libros temáticos en la entrada, abrirían más tarde, como de costumbre, o bien tendrían la acera barrida y fregada para el inicio de la celebración.

La mañana transcurrió realmente festiva. Los compañeros de trabajo, al volver de desayunar, comentaban a qué escritora o escritor habían visto y si les había dado tiempo o no de que les firmara algún libro. Marta procuró ver a todos los autores, ya que salió varias veces a la calle, tomándose también y por una vez en la vida el *tiempo de fumar* que usaban los compañeros que tenían este hábito. Ella había leído muchos de los libros escritos por los autores que estaban bajo el entoldado del Passeig de Gràcia, y disfrutó viéndoles en persona y tomando fotos. El ambiente era casi increíble y la calle estuvo abarrotada durante todo el día.

Marta siguió el plan que había previsto. Cuando estaba tomando el postre en el restaurante japonés al que había ido a comer, recibió una llamada. Con el bullicio de los comensales y el ruido de los cubiertos y la vajilla tardó un buen rato en darse cuenta de que estaba sonando su teléfono. Por fin se hizo con el móvil y miró qué indicaba la pantalla: *Enrique Alonso*.

– ¡Hola! –dijo sorprendida.
– ¡Hola, Marta! Soy Enrique. ¿Cómo estás? ¿Cómo va el día?
– Oh, bien. Esto es fantástico, tendrías que ver cómo está la calle de gente, de paradas de flores, de mesas de libros…

– Sí, sí, lo estoy viendo.
– ¿Cómo dices?
– Que lo estoy viendo.

Marta pensó un momento antes de preguntar:

– ¿Dónde estás?
– ¡Ja, ja! ¡En la Plaza Cataluña! Me diste tanta envidia que he
venido…

Marta no sabía qué decir.

– ¿Sigues ahí? –preguntó Enrique Alonso.
– Sí, sí… Pero ¿tú no tenías un compromiso esta mañana en
Madrid?
– Sí, pero cuando he terminado he cogido el tren de Alta
Velocidad, y aquí estoy.

Marta sonreía. ¡Qué calorcillo recorría su estómago!

– Oye…
– Escúchame –dijo el profesor sin dejarla continuar–. ¿Te pa-
recería bien hacerme de cicerone esta tarde por tu ciudad?
Y luego me gustaría invitarte a cenar…

Aunque tardó unos segundos en responder, Marta finalmente dijo:

– ¡Será un verdadero placer!

Al día siguiente, en la oficina, Marta buscó a María José.
Necesitaba hablar con alguien. Cuando la puso al corriente de lo
sucedido el día anterior, la amiga exclamó:

– ¡Marta, esto es fantástico!
– ¿Verdad que sí? –le hizo un guiño a su compañera–. ¡Y no
veas cómo se puso mi hija cuando la llamé para decirle que
no iría a cenar! Tuve que rogarle que no gritara, que Enrique la iba a oír con tanto *¡es estupendo, mamá!, ¡es fantástico!,
¡es maravilloso!* Incluso llegó a decirme: *No tengas prisa por
volver a casa, tú disfruta.* ¿Tú te crees? ¡Ella me lo decía a mí,
que soy su madre! En fin…

La felicidad era incuestionable en el rostro de Marta y María
José también se sentía contenta por la buena fortuna de su amiga.

El primer fin de semana de mayo, Enrique Alonso viajó de
nuevo a Barcelona y se citó con Marta. Pasearon por las Ramblas,
llegaron a Colón y subieron a *las golondrinas*, esas barcazas que
dan un pequeño paseo por el puerto. La mujer se sentía como una
adolescente: el crujir de las maderas del barco, la brisa marina en
la cara, el ligero balanceo, Enrique tomándola un instante de la
mano para que no tropezara en los escalones. Y lo mejor de todo
era que, aunque parpadeara, aquello no se esfumaría en un momento, porque no era un sueño ni el argumento de una novela.

– Enrique –dijo Marta una vez sentados en los bancos, cuando *la golondrina* comenzó su navegación–, estoy revisando
los papeles de mi abuelo concienzudamente para ver si encuentro algo que pueda servirte para el trabajo que lleváis a
cabo en la Universidad.
– Oh, muchas gracias. Pero no tengas prisa –Enrique Alonso
tragó saliva y se puso colorado; miró a Marta a los ojos
y prosiguió–. No tengas prisa –pareció que se atascaba un
momento, pero continuó–. Quizá te parezca prematuro
pero, después de este tiempo durante el que he podido tra-

tarte, en el que últimamente nos hemos escrito todos los días, creo que he llegado a conocerte.

Marta le escuchaba sin moverse. El hombre desvió por un momento la mirada hacia la derecha, donde se extendía un trecho de mar antes de alcanzar otro de los muelles.

– Bueno –prosiguió Enrique Alonso, volviendo sus ojos a los de Marta–. Conocerte del todo, evidentemente, no. Tú tienes toda una vida hasta aquí, que no te voy a pedir que compartas conmigo si tú no quieres –hizo una pausa para tomar aire–. Me parece que me estoy liando un poco, perdona. Lo que quiero decirte es que no tengas prisa con los papeles de tu abuelo…

Marta seguía callada, intentando contener una sonrisa. Cayó en la cuenta de que era la primera vez que veía a Enrique Alonso sin traje y corbata, con un simple *polo* azul marino. Él estaba tan colorado como si hubiera permanecido expuesto al sol durante doce horas seguidas sin protección.

– Perdona, Marta, me está costando un poco. Lo que quiero decirte, lo que he pensado, si a ti te parece bien, por supuesto, y no tienes inconveniente, y como ya tenemos una edad, bueno: yo tengo una edad, tú no, que eres joven y hermosa… Mmm… Lo que quiero decir es que podríamos… podríamos unir nuestras vidas…

Marta contenía la respiración mirando fijamente a Enrique, que no se puso más colorado porque ya no había posibilidad física de hacerlo.

– Sé que soy un poco chapado a la antigua, lo lamento… Lo que quiero pedirte, delante del Señor, es que seas mi esposa, Marta.

Y como fuera que Marta no decía nada, Enrique Alonso insistió:

– ¿Quieres?

Y por fin, sin saber muy bien por qué había callado todo ese tiempo, quizá simplemente por ese nudo que se le había hecho en la garganta, estando segura de lo que iba a responder, Marta exclamó con suavidad, en un volumen como para ser dicho al oído:

– ¡Claro que sí! ¡Claro que quiero, Enrique!

Y los dos se echaron a reír, y el profesor tomó dulcemente las manos de Marta, mientras el barco se alejaba de la costa en medio de un mar dorado por el sol y el viento despeinaba la hermosa melena de la mujer, y al hombre se le empañaban ligeramente aquellos sonrientes ojos azules…

El frente,
noviembre de 1938

El frente, noviembre de 1938

La situación era desalentadora. Atrapados desde hacía semanas en el mismo lugar, con el enemigo siempre delante, sin tregua un solo día, rodeados por aquellos riscos marrones, los árboles pelados por el frío y el río en medio de los dos bandos, sólo hacían que sacrificar vidas, y ninguno podía constatar otra cosa que no fuera estar resistiendo.

Francisco no comprendía por qué debía matar —¡él, matar!— a los muchachos del otro lado de la corriente de agua que discurría ajena a tanta locura humana. Con toda seguridad, ninguno de ellos tenía ganas de morir. Y sin embargo, después de cada escaramuza, todos perdían compañeros, muchas veces despedazados por las granadas y las bombas. El horror de aquellos días había vuelto al muchacho mucho más reflexivo. Y cada jornada que sobrevivía sin heridas ni mutilaciones le hacía sentirse extrañamente culpable por poder contarlo. ¡Cuántos rostros sonrientes, cuántas voces, cuántos cuerpos sanos y llenos de fuerza, cuántas miradas cargadas de sentimientos, que jamás volverían a ser!

Francisco no se había comunicado con su familia en Valladolid desde hacía casi tres años. Ahora le pesaba en el corazón no haberlo hecho, y temía que quizá la contienda les hubiera afectado de un modo u otro. Le parecían sin sentido las agrias discusiones que había mantenido con

su hermano Laureano. Sabía que nunca había sido reprendido gratui-
tamente, sino por el amor que le tenía y porque temía el final del camino
que estaban tomando sus pasos. Decidió que había llegado el momento de
escribir, porque era consciente de que cada minuto era un regalo. Pidió
al compañero encargado del material de escritura que le facilitase papel,
pluma, tinta y secante. Más adelante, cuando tuviera redactada la carta,
y después de ser revisada por los censores, se haría con un sobre y lo demás
que hiciera falta. Estaba seguro de que recibirían con los brazos abiertos
y sin reproche sus noticias. Pero, ¿qué decir a los suyos para que no se
preocuparan? ¿Cómo se encontrarían ellos, especialmente los abuelos y los
otros mayores de la casa?

Después del rancho se apartó de sus compañeros buscando un
lugar donde apoyar la espalda que no estuviera a tiro del enemigo. Y
comenzó a escribir, con la hermosa sensación de encontrarse, por unos
instantes, en casa.

Querido Laureano:

Los días han pasado deprisa desde que partí de vuestro
lado, y me pesa haberlo hecho del modo en que lo hice.
Perdonadme, por favor.
Yo estoy bien. Aunque no me engaño respecto a que esta
guerra no es una aventura, como creí en un principio,
sino una pesadilla. Te confieso que ahora ya sé lo que es
el miedo. Algunos compañeros disimulan, haciéndose
los fanfarrones, o bien tratando de no pensar, bebiendo
más vino de la cuenta o en los brazos de algunas pobres
chicas que están muchas veces cerca de la Compañía.
Ahora ni siquiera eso. Estamos perdidos en medio de
la nada. Otros se sumen en un silencio que abruma, con
unos ojos —tendrías que verlos, Laureano— entre asusta-
dos y tristes, que parten el corazón. Los hay con ánimo

resuelto, no te digo que no, que cuentan chistes y cantan y procuran incluso que cantemos todos. Aunque cada vez son menos. Somos conscientes de que después de cada ofensiva muchos no estaremos vivos, otros quedaremos malheridos o mutilados, sufriendo dolores que sólo de pensar nos encogen el espíritu. Por eso procuramos distraernos. Tenemos las armas más limpias que nunca, las botas más brillantes que un príncipe, y algunos leemos lo que podemos, intercambiándonos los pocos libros que entre todos llevamos a cuestas.

¿Sabes de qué tengo miedo, Laureano? De haber sido un necio. Sí, de haber sido un necio. ¡Cuántas veces hemos discutido a causa de tu Libro! Lo que daría por disponer de una Biblia aquí y releer algunos de los textos. Desde la trinchera, haciendo guardia, puedo contemplar el cielo estrellado durante horas y veo cómo gira, tan perfecto, tan inmenso, tan bello. Y recuerdo tus palabras: "No hay reloj sin relojero, Francisco". ¡Cómo me he reído de tus reconvenciones, sentado en el patio de la casa en el buen tiempo, o cerca del fuego en invierno! Me sentía joven, fuerte e invulnerable. Hoy, joven y fuerte igual, quizá me encuentro a las puertas de la muerte. Y todo cambia. ¿Me espera el Creador? Sé que sí. ¿Cómo presentarme delante de Él con todos mis fallos, mis errores, mis pecados? No quiero engañarme más…

Sonó la corneta. A presentar batalla. Todos a sus puestos. Y comenzó, en unos instantes, la macabra sinfonía de la muerte: disparos, gritos, explosiones, imprecaciones, piedras cayendo al agua, lamentos.

Francisco corrió hacia la trinchera, disponiendo el arma mientras llegaba a su posición, llevando en el bolsillo de la camisa la carta inconclusa. El capitán gritaba órdenes; él las obedecía, en medio de un caos que no permitía saber con exactitud qué estaba ocurriendo, quién era el hombre que se tenía al lado, cuándo terminaría esta vez el mal sueño. Sintió un pinchazo en la espalda. Siguió disparando, corriendo, agachándose. El aire refrescaba el abundante sudor que le resbalaba por el cuerpo. Sintió pasar sobre su cabeza rocas, ramas y quizá pedazos de algún compañero. Se mareó y cayó de rodillas, pero continuó lanzando con furia mensajes de muerte a los malditos que no dejaban de importunar con sus tiros y sus gritos.

Tropezó y cayó de bruces. El fusil le quedó atravesado en la cara. Movió el brazo derecho para intentar secar el sudor helado de su espalda. Acercó la mano a su rostro, y miró. No veía bien, pero su mano indiscutiblemente era roja.

Dejó de sentir el dolor en la cara y el frío en la espalda. Dejó de oír el ruido de la contienda y las voces de los compañeros. La oscuridad cubrió sus ojos. Entonces intentó pedir auxilio, pero sus labios no respondieron.

"Oh, no, ahora no. No he tenido tiempo…"

Agradecimientos

En primer lugar mencionaré a mi paciente familia -mi marido, mis hijas y mis hijos-, que me permite y facilita muchos de los desajustes necesarios para poder dedicarme a escribir.

Mis hermanas se constituyen en el primer equipo de corrección del manuscrito, así que muchas gracias también por su interés y su tiempo para hacer que este trabajo sea mejor.

Mi gratitud viaja también hasta Galicia, desde donde Vicky García lleva a cabo una corrección más exhaustiva, comprobando además la exactitud de todos los datos y referencias.

Gracias también a las amigas y amigos que en todo momento se interesan por la marcha de la obra, regalándome las palabras de ánimo necesarias.

Y gracias al Señor, que pone a todas estas valiosas y queridas personas a mi alrededor, y favorece las circunstancias para que, aun en medio de las otras ocupaciones, pueda encontrar el tiempo y la oportunidad para hacer algo que me encanta, como es el contar cuentos.

Made in the USA
Lexington, KY
05 April 2015